JN117013

Venezia　Cisternino　Bologn

都市のルネサンス

イタリア社会の底力

増補新装版

Jinnai Hidenobu

陣内秀信

古小鳥舎

装丁　毛利一枝

〈カバー・表〉
パラッツォ・ヴァン・アクセルの中庭（一部加工）
〈カバー・裏〉
外階段のあるコルテ（中庭）
（A. Zorzi, *Venezia scomparsa*, Milano, 1972.）
〈表紙〉
ビザンティン様式のアーチ
〈本扉〉
サン・ポーロ広場の東側の連続壁面

（写真はすべて著者撮影）

都市のルネサンス◉目次

『都市のルネサンス』〈増補新装版〉まえがき

イタリアの建築、そして都市は、欧米の先進国のなかでも、独自の立場を常に貫いてきた。長い歴史のなかで積み重ねられた厚みのある都市の環境、豊かな生活経験をもつだけに、世界を席巻した近代の建築・都市の理論や実践に安易に身を委ねることなく、歴史の空間を大切にし、それを現代に創造的に再生しながら、我が道を堂々と切り拓いてきた。結果として、人間的で個性に溢れるイタリアの都市は、世界中の人々の心を摑み、歓びを与える存在であり続けている。建築のリノヴェーションの巧みさ、〈旧〉と〈新〉の交錯が創り出す都市空間の華麗さは群を抜いている。歴史の記憶が詰まった古い町の街路や広場が、現代の市民生活の舞台として実に居心地良く、また美しい。

そんな魅力を発信し続けるイタリアの都市だけに、私が一九七八年に刊行した『都市のルネサンス――イタリア建築の現在』(中公新書)の内容は、今なお色褪せず、現代日本の我々にとって、自分たちの都市や建築を根本から問い直すのに大きな価値がある。嬉しいことに、福岡に小さな出版社、古小烏舎を立ち上げたばかりの野村亮氏が、そう確信し、この新書の再々刊を提案して下さった。

元々、中公新書として世に出た『都市のルネサンス』が絶版になり、それなりの時間が経過した二〇〇一年、この本のまさに再生（ルネサンス）ともいえる企画がもち上がり、新たな情報を大幅に加え、「講談社+α文庫」の一冊として、復刊を実現させることができた。その頃は、イタリアの都市がますます輝きを増していた時期で、『イタリア　都市と建築を読む』という書名に変更し、複雑で面白いイタリア都市の成り立ちを読み解くというテーマを前面に押し出す方針を考えた。

それからすでに、また二〇年近くの長い年月が経過した。復刊書である『イタリア　都市と建築を読む』も絶版になって久しく、とりわけ若い世代の人達にとってこの本の存在に触れる機会がないことを、野村亮氏がおおいに残念に思い、再度、この本の復刊・再生の企画を考えて下さったのである。野村氏には、やはり福岡にある弦書房の編集者時代に、三冊も私の本を出版していただいた実績があり、今回もまた大変お世話になった。心より感謝の意を表したい。

この度の再々刊にあたっては、原点に戻り、『都市のルネサンス』の書名に戻し、副題を「イタリア社会の底力」としてみた。その思いは、巻末の「時代は「テリトーリオ」へ――「増補新装版あとがき」にかえて」に詳しく論じられている。先が見通しにくい現在、一九七〇年代のイタリアが試行錯誤を経て、次の新たな時代への道を切り拓いた姿を、我々自身の今と重ねて捉え直してみたいという思いがある。イタリア社会がその底力を発揮しつつ、都市ばかりか地域（テリトーリオ）全体を個性的に再生していくその論理と実践は、実に魅力的だ。日本の都市や地域を元気に蘇らせるにはどうすべきか。そのための手掛りをこの本からつかんでいただければ幸いである。

文庫版まえがき

近年、イタリアへの関心が日本でますます高まりを見せている。海外旅行に旅立つにも、その行き先としてイタリアは人気を集め、またこの国が発信するデザイン、ファッション、そしてグルメの文化が日本の私たちを魅了する。そこで注目されるのが、イタリアの都市である。歴史の厚みに裏打ちされた個性豊かなイタリアの都市や建築の魅力が、人々の心に深く語りかける時代が来たといえよう。

そんな折に本書が、「講談社+α文庫」の一冊として出版されることになり、うれしい限りである。この本は、一九七八年に出版された『都市のルネサンス――イタリア建築の現在』(中公新書)の復刊をベースとしている。その新書は、イタリア留学から戻った私が初めて世に出した思い出深い本であり、自分自身がその後イタリアの都市や建築の研究を展開していく上で、常に立ち戻るべき原点としての書だったが、すでに絶版となって久しかった。

それだけに、多くの若い世代の方々にも、私の出発点となったこの本を読んでいただけることをうれしく思う。そしてまた、イタリアの町や生活空間に興味をもたれる方々が増えた今の時点で、本書がより一層広い読者の目に触れることになるのは、願ってもないことである。

文庫に収めるにあたり、イタリア留学中に行った北部のヴェネツィア、中部のボローニャ、南部のチステルニーノでの調査をもとに書かれた元の新書の主要部分は、今なお価値があると考え、内容を変えずにそのまま収録し、情報がやや古くなった感のある終章(「ローマに集う若き建築家たち」)のみ削除し、それにかわって冒頭と末尾に、二〇年以上前に書いた内容についての今日的な視点から見た意味づけや、その後のイタリアの都市をめぐる動きについて書き加えることにした。そして本の題名も、この本の内容をよりよく表現していると思える『イタリア　都市と建築を読む』に改めた。

本書の出版にあたっては、やはり講談社から昨年刊行された前拙著『イタリア　小さなまちの底力』に引き続き、講談社生活文化局の早川真氏とグリーン・ライフ研究所の植松重信氏に大変お世話になった。心からお礼を申しあげる。

二〇〇一年九月

陣内秀信

ヴェネト州
トレヴィーゾ
パドヴァ
サクロモンテ
ミラノ
ヴェローナ
ヴェネツィア
リグーリア州
フェラーラ
パルマ
ボローニャ
ジェノヴァ
エミリア・ロマーニャ州
フィレンツェ
ピサ
アドリア海
シエナ
リグーリア海
トスカーナ州
ローマ
バーリ
チステルニーノ
ナポリ
プーリア州
ブリンディシ
アルベロベッロ
レッチェ
マルティーナ・フランカ
サルデーニャ島
ガッリーポリ
ティレニア海
イオニア海
パレルモ
エトナ山
シャッカ
シチリア島
シクリアーナ
シラクーザ
地中海

イタリア関連地図

序章　「都市と建築を読む」ことの面白さ

個性派イタリア都市への転換点に立って

イタリアは、一九八〇年代以後、今日にいたるまで、経済も順調で、文化的にも輝きを取り戻し、世界にむけて元気に発信を続けているが、ちょうど私が留学していた七〇年代の前半から中頃というのが、今から考えれば、次の輝きの時代を生むための準備期間だったように思う。

その頃のイタリアというと、すこぶる評判が悪かった。経済は破綻し、国の政治は混乱続き。ストライキばかりで社会は機能せず、治安は悪い。ヨーロッパの劣等生とまで言われるありさまだった。「なんでそんな国に留学するのだ」とよく尋ねられたものだ。その頃の自分には、「好きだから、魅力があるから」としか答えようがなかった。

でも、私の中には、この歴史と文化の厚みのあるイタリアには、近代を乗り越えていく不思議な力がありそうだ、という直感のようなものがあった気がする。恰好よく言えば、そこにひかれてイタリアを選んだ、ということになる。

実際、留学して生活し、調査で各地をまわってみて、どの都市でも人々が豊かに暮らし、日々の生活をエンジョイしているのに驚かされた。国家、中央政府がガタガタでも、それぞれの自治体や地域がしっかりしている実情がよくわかった。しかも、歴史の中でつくられた都市空間が、人々の生活の舞台として生き生きと使いこなされているのを見るのは、感動的ですらあった。

それでも、実はイタリアでは、戦後復興から六〇年代半ばまでの高度成長期、日本とよく似た歩みのもと、「大きいことはいいことだ」という発想で、古い町を壊し、田園をつぶして拡大、発展ばかりを求めた。その大きなツケが、六〇年代末に一気にまわってきた。過疎と過密で国土全体のバランスは崩れ、国家経済は破綻、肥大化した大都市は行政能力を失っていた。

ところが、そこからイタリアの人たちの底力が発揮され、都市がしだいに再生され、魅力を取り戻し、輝きを発するようになっていったのだ。七〇年代の前半から中頃に見られたその動きの発端、その方向の道筋を説き明かすのが、まさにこの本の大きなねらいだった。幸い、そこで述べた当時のイタリア社会がめざしていた、歴史や文化の蓄積を尊重し、都市や地域のアイデンティティ(独自性)を求める考え方は、その後も着実に大きく展開していった。そして近年、こうしたイタリアの発想は日本にもおおいに刺激を与えつつある。

学ぶことが多いイタリア式の生き方

一九七三年の秋、初めて接したヴェネツィア建築大学の教育は、私にとって、何もかも新鮮だったが、特に、「都市を読む」という発想に魅せられた。のちに、「都市を読む」という言い方は日本でもポピュラーになったが、それも実は、文学の分野でフランス文学の清水徹（しみずとおる）、日本近代文学の前田愛（まえだあい）といった方々が文学をテキストとしながら、その面白さをまずはアピールしたのだった。白紙の更地（さらち）に何の拘束（こうそく）も受けずに自由に設計することを理想と考えていた日本の建築の世界には、歴史の要素がからまった古い町の面白さを理解するセンスがまったくなかった。

それにたいして、さすがイタリア。この国では七〇年代初めに、すでに大学の建築教育の中で

「都市を読む」ことの重要さがさかんに論じられ、私もその洗礼を受けたのだ。

　そうしたセンスを学びながら、カメラ、スケッチブック、詳細な地図を手に、この「水の都」の迷宮空間を歩きながら、建物や広場、路地、運河をゆっくり観察してまわる毎日は、実に楽しかった。自分が生命感を取り戻すような喜びさえ感じられた。

　南イタリアのプーリア地方にある丘の町チステルニーノでも、さらに徹底して「都市を読む」ための調査にチャレンジしたのだ。ヴェネツィアは魅力的な都市だが、あまりに大きくて複雑だ。全体を自分で調べつくした、という実感はもちにくい。いかにもイタリアらしく個性的で、しかも全体が把握できる可愛らしい町をさがしてみたいと思っていたときに、ちょうどこのチステルニーノと出会ったのだ。長靴形をしたイタリア半島の踵にあたるこのプーリア地方は、世界でも、最も「石の建築」文化の発達した所だ。その迫力ある石造りの住宅群を実測しながら、都市の成り立ちを読んでいった。

　こうしたフィールド調査の面白さは、その後もずっと自分の身体の内部に生き続け、イタリア都市でのさまざまな経験が、東京や北京の下町、イスラーム世界の都市の旧市街で調査をおこなうときにも、おおいに役立った。

　そして、ボローニャ。当時、革新自治体のリーダーとして注目され、ユーロコミュニズムの旗手とも呼ばれたこの都市は、市民の側に立った実験的な町づくりに取り組んでいた。その方法の基本には、やはり「都市を読む」ということがあったのだ。古い歴史地区の住宅地がどのように形成され、いかなる特徴をもっているかを調べ、その個性を活かす方法で、地区の再生事業を実現した。既存のコミュニティまでも大切にされた。「都市を読む」発想が、本格的に町づくりに活かされた最初の例といえる。その成功は、イタリアのみか、ヨーロッパ諸都市にも大きな影響を与えた。

ようやく日本でも、既存のものを壊してはつくることを繰り返し、拡大発展ばかりを求めた時代は終わりつつある。それに代わり、自然や歴史のストックを魅力的に活かし、眠っている町や地域の個性を引き出しながら、質の高い開発をおこなって、居心地のよい個性的な環境をつくる時代がやってきた。都市の魅力や個性を発見し、意味づけ、それを巧みに活かすイタリア式の生き方から学ぶことが実に多いのだ。「都市を読む」方法もまた、日本でますます求められるに違いない。

「都市と建築を読む」面白さの勘どころ

イタリアはまさに都市の国。ヨーロッパの中でも、特にこの国の都市空間がもつ迫力には圧倒される。古代以来の歴史の古さ、ぎっしり建てこんだ都市の密度の高さ、そして都市空間の中での人々の演劇的な振るまい方など、どれをとっても、魅力的な都市を生むための条件がそろっている。

イタリアを訪ねると、こうした都市の一つ一つを読むことが、実に楽しい。その面白さの勘どころなるものを、まずここで説明しておきたい。

そもそも、くわしい都市のガイドブックを見ても、個々の重要な建築や街路、広場の説明は出ていても、実はそれらの要素がどう結びついて都市全体を組み立てているか、そのロジックの解説というものは、ほとんどない。「都市と建築を読む」には、まさに町を自分の足で歩き、自分の目で観察し、発見することが必要だ。そこに、都市を読む面白さがある。

重要な観光スポットばかりを見ていたのではお話にならない。表通りから裏手に入り、時には路地の奥や、中庭の様子をのぞくことも必要だ。点から線へ、そして面へと、好奇心をもって観察を広げていく。

煉瓦（れんが）や石からなるイタリアの都市だけに、古い構造物がぎっしり受け継がれている。町並みを構成する建物の中には、中世やルネサンスのものがたくさんある。幸い、窓のアーチの様式でだいたい時代がわかる。そのポイントをちょっと学ぶだけで、町歩きがどんどん楽しくなる。イタリアは、南北に長く、歴史の中でさまざまな異文化からの影響をたっぷり受けてきたから、アーチなどの様式にも、地方ごとに個性がある。

そして、地形の変化に富むイタリアだけに、水上の浮島（うきしま）として形成されたヴェネツィア、平野に発展したボローニャ、丘の上に築かれたチステルニーノなど、多彩な都市を各地に生み出した。そのため、都市の構造も建物の形式も、地方によって実に多様だ。「都市と建築を読む」ための目のつけ所も自ずと変わってくる。

ヴェネツィアなら、運河と道のつくり方がまず興味を引くし、水と結びついた建築の構成が注目される。貴族の館にも、庶民の長屋にも、この町ならではの特徴が見られる。南イタリアのプーリア地方にあるチステルニーノは、いかにも地中海世界らしい複雑に入り組んだ迷宮的空間の中に、石造りの住宅群が積み上げられ、迫力満点の世界を生む。しかし、その造形的な美しさにばかり目を奪われたのではだめで、少し冷静になって、こうした変化に富む町並みがどのような過程を経てできあがったかを想像する必要がある。

　ボローニャなら、都市歩きを始める前に、まず、高い塔の上にのぼるのが手っ取り早い。平野に広がる市街地が一望のもとに見渡せ、古代ローマ時代にできた中心部の碁盤目状の地区、放射状に街路が伸びる周辺の中世地区など、全体を把握することができる。古い地図を活用するのと並行して、このように高い場所から鳥瞰的に都市を眺めるのも、都市を読むのに有効な方法だ。

　だが、イタリア都市の最大の面白さは、人々の振るまいにある。歴史的な価値をもつ古い住宅の中にも、街路にも広場にも、現代の市民の生き生きした暮らしが繰り広げられる。その空間デザインはお洒落で、洗練されている。過去と現代の見事な対話が、そこにある。近年、イタリアの歴史的な都市は、ますますその魅力を高めている。「都市と建築を読む」のも、その生き生きしたイタリア人の今のライフスタイルにまで広げて考えたい。

＊本章は、文庫版『イタリア　都市と建築を読む』として刊行する際に加筆したものである。

第一章　水の都ヴェネツィアへ

――北イタリア

イタリアの都市と建築との出会い

〝水没の危機〟を叫ばれて久しいヴェネツィアに私が到着したのは、一九七三年初冬の一一月九日。霧に身を包む町の中心サン・マルコ広場が水に浸かる日も、すでに珍しくなかった。だが度重なる冬の出水騒ぎにも慣らされたのか、厚いオーバーの襟(えり)を立て、白い息をはきながら運河沿いを行き交う市民の顔には、むしろ、観光客の手から本来の落ちつきある生活を取り返した安堵感が見受けられた。

物好きにも、こんな車のない、現代世界と逆行しているかのようなヴェネツィアの町で生活しながら建築をじっくり勉強してみよう、と私が思い立ったのには、それなりの理由がある。

早いものですでに一昔も前のことになろうとしているが、六〇年代末から七〇年代初めにかけて、大学の動乱の中で建築を学んだ私にとっての日々の生活といえば、製図の習練を積むことでも構造計算を身につけることでもなかった。大学へ顔を出しては連日、「自分たちの存立基盤を問い直し、建築の分野においていかに攻撃的知性を働かせるか」を、仲間できまじめに議論することでもっぱら明け暮れていたのだ。

折しも、自立と連帯を求めてフォーク集会に集まる若者たちによって創り出された新宿西口広場が、機動隊の制圧で単に動線をさばく通路と化したり、気鋭の建築家たちが民衆の出会いと交流の場の創造をめざして頑張った万博のお祭り広場が、結局は予想通り体制側の管理の下での

水に浸かるサン・マルコ広場。地盤沈下の原因となった地下水の汲み上げが禁止され、沈下はおさまったが、地球温暖化の海面上昇の問題は解決していない

空々しい見世物の場に終始するのを見せつけられ、現代社会の中で建築をつくることの難しさを感じないわけにはいかなかった。機能性と経済性のみを追求する資本の側からの都市改造の中で、建築家は、やるすべを失っていくように思えた。さらに、建築は民衆にとって真に文化的、社会的な役割を演ずることができないばかりか、逆に日照権や景観破壊などの問題をめぐって、地域住民に敵対することにもなりかねない勢いであった。

こうして都市の中から生命の躍動する場、心に語りかけてくれる場が一つ一つ失われ、私も自分の居場所を見いだせなくなっていた。「建築なんかやってもどうにもならないよ」という極論さえ時折聞こえてくるのだった。

そんな中で、やはり好きな建築にしがみついた私が、試行錯誤の末選ぶことのできた最後の拠り所は、建築の歴史という学問であった。近代建築や近代都市に欠けている、心の通った人と物とのかかわりの確かな手ごたえを、歴史的な対象物の中に求め、それを描き出すことの中から、われわれの想像力を呼び起こし、再び現代の建築や都市を考え直してみよう、と決めたのである。そして八方塞がりの抽象的な議論を棄てて、古い建物や都市の中に実際にとびこんで、具体的な人々の生きざまに触れながら、体でその手ごたえを感じてみようと考えるようになった。

　大学院の建築史研究室に入った直後のヨーロッパ旅行の日々は、私の進む道を決定的にした。中でもイタリア諸都市で見た、歴史の中で培われてきた建築や都市空間と人々の生活との密接な結びつきは、私の心を躍らせてくれた。都市の造形が人々の日常の生活行為とみごとに対応し、また人々の社会的交流を支える場を保証しているのである。そしてその中にこめられた過去からのメッセージの集積が、知らず知らずのうちに人々の心にひだを幾重にも刻み込み、深みのある物の見方を教えてくれているのだ。

　この旅での、イタリア都市との感動的な出会い以来、私は、人間的な魅力にあふれたこれらの都市がどのように形成され、どのような内的秩序をもっているのかを、今度はそこに住みながらじっくり解明してみよう、と心に決めた。そしてそのもくろみを実行に移す最初の町として、迷わずヴェネツィアを選んだのである。個性的で変化に富んだ都市空間をもち、しかも車に妨害されず、心ゆくまで町並みを観察できるこのヴェネツィアは、まさに恰好の場所だったからである。またここならば、運河と迷路と広場よりなる、中世そのままの構造をもつヒューマン・スケール（身体寸法）の水の都の中で、住民がいったい何を考え、どんなふうに生活しているのかを、彼らとの日常的なつき合いを通して、内側から身をもって感じることもできそうに思えた。

さらに、東京という資本とテクノロジーの怪物のような、超人間的スケールの大都会を抜け出し、水の上に浮かぶ現実離れしたこの古都に移り住んだときに、自分自身の内部にどんな変化が起こるのか……、それを見つめてみたいという個人的な好奇心も手伝っていた。

今日のヴェネツィアと言えば、過去の文化遺産におぶさり、観光を売り物にして生き延びていると思われがちだが、この町にも新しい価値を創り出す生命力が枯渇してしまったわけではない。ヴェネツィア建築大学の存在もその一つであり、ここでは、七〇年代に入って日本の各大学がむしろ創造的エネルギーを喪失していったのと逆に、一九六八年の大学革命後教育内容を刷新し、「歴史的都市における保存と創造」をテーマに実験的試みを続けているのだ。古い町に住みながら、この新たな胎動に触れられるということも、私がヴェネツィアに執着したことの大きな理由だったのである。

こうして私は、イタリア留学の最初の二年間（一九七三年一一月～一九七五年一二月）を、イタリア政府給費留学生として、ヴェネツィアというなんとも魅惑的な町で生活することになった。

期待と不安のうちに初冬のイタリアへの出発を迎えた私に、建築史研究室の稲垣栄三教授は「都市を研究するには、生活しながらじっくり取り組まなくてはだめだ。せいぜいのんびり遊んでこい」という、まことに心強いはなむけの言葉をくださった。一方、口の悪い友人たちは「ヴェネツィアのような古くて沈みつつある町では、きっと電気も暖房もないぞ。まあのたれ死なないことだな」といって脅かすのだった。

ヴェネツィア生活のスタート

下宿のことなど、生活の事情についてまるきり見当もつかぬまま霧のヴェネツィアへやってきてしまった私であったが、幸い、すでにこの地に通算二〇年以上住み、情熱を傾けて風景を描きつづけておられる別府貫一郎(べっぷかんいちろう)画伯のお世話で、同じ家の隣室に住める幸運に恵まれた。すぐ目の前にヴァポレット(水上バス)が通る運河が見え、ヴェネツィアらしい落ちついた雰囲気をもつこの下宿は、すっかり私の気に入った。七〇歳を越えるのに、肉親と離れ離れに寂しく暮らしている下宿のマリアばあさんは、人なつっこく話しかけてくれるのだが、なにしろトリエステ訛(なまり)のひどい言葉なので、日本で思うように会話の勉強ができなかった私のイタリア語では、最初はなんともいたしがたかった。それでも、早朝のミサから戻った彼女が準備してくれるコーヒーとクラッカーの簡単な朝食にお相伴(しょうばん)するのが、私にとってうれしい日課になった。

感じのいい裏庭に面する私の部屋は、広々として分不相応なほどに格調高いものだった。備えつけのバロック調の家具で統一され、小さいながらシャンデリアさえさがっていた。この感動を東京の研究室の仲間に伝えるためにさっそくペンをとり、部屋全体を上から見下したスケッチを添えて手紙を書き送ったものである。王朝風の大きなベッドにはそわそわして何となく落ちつかないし、大理石の一枚板でできた風格ある机に向かうと、正面のバロックのコーニス(蛇腹)に入ったはめころしの大きな鏡に自分の姿が映って、なんとも気恥かしいので、前に高く本を積んで隠さねばならないほどだった。このような最高の下宿に恵まれた私は、順調にヴェネツィアの生活を開始できた。

さっそく、これからの留学生活の拠点となる建築大学へ出向くことにした。下宿から歩いて三分、橋を二つ渡って運河沿いに少し行くと、もう大学前の広場へ出る。そこには、モスグリーンのオーバーとジーパンがよく似合う、長い図面の筒を抱えた男女の学生たちが、いくつもの輪をつくってたむろし、運河の縁や裏の小道から現われるはずの仲間を待ち受けている。正面左手の、彼らが溜(たま)り場とするカフェの内や外にも、授業の合間にエスプレッソ(イタリアの濃いコーヒー)を立ち飲みする学生があふれている。

中央に見えるアジビラの目立つ板塀にはさまれただけの質素な正門は、権威をかなぐり捨て、社会に開かれた新しい大学のシンボルとしてまことにふさわしい。その前で党派の新聞を売る髭(ひげ)面(づら)の左翼系学生の姿も、この大学前の広場の点景人物として欠かせないものだ。この大学では日本人は大変珍しいせいか、学生たちの視線がいっせいに私に注がれてくるような気がする。しかも自分より若いはずの彼らなのに、誰も彼も貫禄があるので、どうしてもこちらが気おくれしてしまう。

しかし潔く、連中の間を脇目も振らず突っ切って、門をくぐり抜けてみた。紅葉をすでに終え、葉を落としたツタがからまる煉瓦の壁伝いに六〇〜七〇メートルほど歩くと、修道院を改造したルネサンス式の落ちついた雰囲気の中庭に出る。回廊のまわりで立ち話にふける議論好きな学生たちの輪の間を通り抜け、三階へ上り、目当ての研究室の扉を叩いた。

私が世話になったのは、建築家・都市計画家であり、ヴェネツィア建築史家として第一人者で

㉑ サン・バルトロメオ広場
㉒ リアルト橋
㉓ 天国の道
㉔ 天使の家
㉕ サン・マルコ広場
㉖ 海員住宅
㉗ サン・ジョルジョ・マッジョーレ教会
㉘ マルゲーラ工業地帯
㉙ メストレ
㉚ ヴェネツィア
㉛ ムラーノ島
㉜ トルチェッロ島
㉝ ブラーノ島
㉞ リド島　㉟ キオッジア島

ヴェネツィア市街図

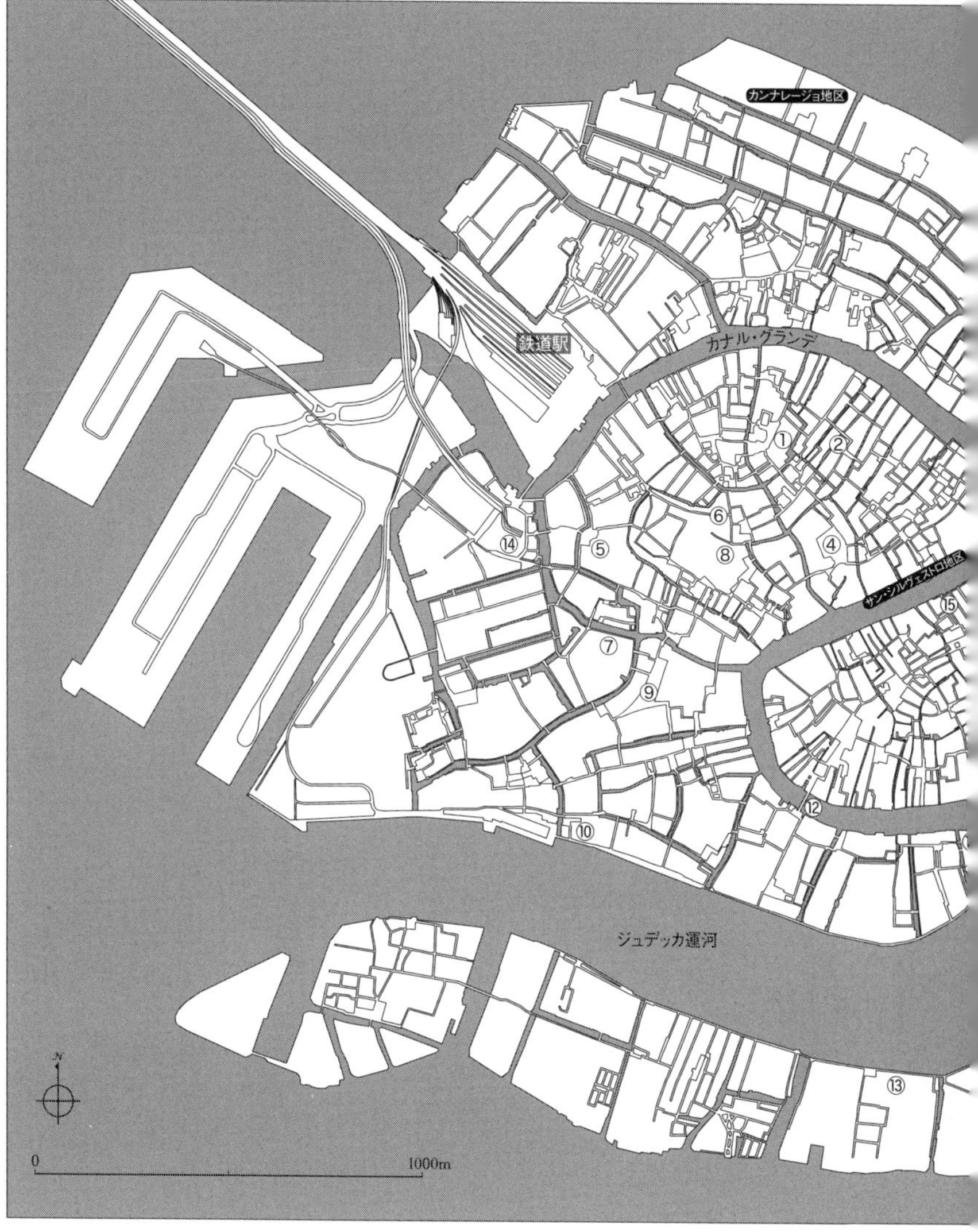

① サン・ジャコモ・ダローリオ広場
② サン・マテル・ドミニ広場
③ リアルト市場
④ サン・ポーロ広場
⑤ ヴェネツィア建築大学
⑥ 学生食堂
⑦ 下宿
⑧ サンタ・マリア・グロリオーザ・デイ・フラーリ教会
⑨ サンタ・マルゲリータ広場
⑩ ザッテレの集合住宅
⑪ サルーテ教会
⑫ アッカデミア橋
⑬ イル・レデントーレ教会
⑭ ピアッツァーレ・ローマ（バスターミナル）
⑮ 市庁舎
⑯ サンタ・ソフィア地区庶民住宅
⑰ サン・カンチアーノ地区
⑱ ダ・モスト家
⑲ パラッツォ・ヴァン・アクセル
⑳ コルテ・デル・ミリオン

もあるエグレ・レナータ・トリンカナート女史を中心とする、歴史調査・修復研究室である。彼女の若き日の名著『ヴェネツィアの小建築』(E. R. Trincanato, *Venezia minore*, Milano, 1948) は、豊富なスケッチによって、この町の庶民建築を見る楽しさ、面白さを教え、さらにそれらが都市の環境形成といかに切り離せぬものであるかを語り、私の眼を開かせてくれていたのだ。にこやかに私を迎えてくれたトリンカナート女史は、六〇歳をゆうに越えると見受けられたが、その白髪のエレガントな姿に、私はすっかり魅せられてしまった。そのことをイタリア人やギリシア人の友達に漏らしたもので、以後いつも彼らに冷やかされるのであった。

私の研究上の関心は、まず第一に、今なお生き続ける歴史的町並みの現地調査によってその形成プロセスを明らかにしながら、建築・都市の内部に存在する構成上の秩序およびそれと人々の生活の関係をとらえる方法を学ぶこと、第二に、その町並みを将来へも生かし続けるような保存計画の考え方を学ぶことにあったから、歴史にも強い建築家、プランナーが集まったこの研究室は願ってもない環境だった。

複数の教授陣による集団指導制をとるこの研究室には、実に多彩なスタッフがそろっていた。助手の中にも、ヴェネツィア貴族の出で自宅にアトリエを構えるタラミーニ氏、市役所の建築家でもありヴェネツィアの風景を素材に半抽象の絵を描く芸術家風のレオーネ氏、縮れ毛の頭に前時代風の銀縁の小さい眼鏡をかけ、一風変わった風采(ふうさい)と人を食った話し方でいささか奇人扱いされるものの、学長のアイモニーノ氏らから絶大な信頼を寄せられる南イタリア出身のロヴェーロ氏ら、イタリア人らしくマイペースでよい仕事をしている若い人たちが何人もいた。

研究室のテーブルの上に無造作に積まれているヴェネツィアの建築や町並みの綺麗な図面は、その一枚一枚が私の心を躍らせるのだった。日本の近代建築・近代都市計画一辺倒の教育に慣らされていた私には、歴史的都市の問題に真正面から取り組むここでの実験的教育は、実に新鮮に映った。

自分で考え、議論させる教育

この建築大学は、自由で熱気にあふれている。入学制限がなく学生数がやたら多いこともそれに拍車をかけているが、なによりも、日本の建築学科とは違って女子学生が多いために、独特の華やかさが生まれている。親しくなった美しい彼女たちにあちこちで「チャオ」と呼びかけられるのは、悪い気がするはずがない。中には「どうせ婿探しに大学へ行くんだ」という一部の世評を見返すように、調査・プロジェクトのグループのリーダーとなり、教授たちとわたりあう、男子顔負けの活動的な女性も珍しくない。

また社会に出てからも個々人が自分の生き方を自由に設計できるこの国では、勉強したくなれば、仕事の合間に時間をつくり出し大学へ通うことが可能であるから、さまざまな味のある人種が大学へ集まってくる。私の友人の中にも、砕石をモルタルで流し込むヴェネツィアの伝統的な床づくりの職人の息子で市の水道局の技師をつとめるアントニオ氏、汽車で二時間ほどのウーディネの町の高校で美術を教えるおなかの突き出たデ・ナポリ氏ら、向学心に燃えるいささかふけた学生が何人もいた。また、階級差のまだまだ大きいイタリアではあるが、近年大学の大衆化が進み、勤労大学生の数が増えたため、働きながら単位をとっていくための便宜も考えられている。そんなわけで、学生の年齢も風貌（ふうぼう）もまちまちである。頭が禿げ上がったかっぷくのいい学生が、若手の先生に教えを乞う光景も、ここではごく日常的なことなのだ。

教授たちのおこなう講義は、どれも実に迫力がある。この国では、大学で教えるためには、すぐれた論文を書く能力だけではとても勤まりそうもない。小学校のときから自分の意見を主張し、議論することを身につけ、筆記試験ではなく口述試験で鍛えられてきた学生たちの質問は手厳しいし、授業も研究室の数人の教授、助手が参加して討論形式でおこなわれる場合が多いからだ。

中でも歴史研究室を主宰するマンフレード・タフーリ教授の一九世紀末のシカゴ派を中心とするアメリカ建築の講義には圧倒されれっぱなしだった。代表的コミュニストである彼の話の内容もさることながら、力強く歯切れのよい自信たっぷりな話しぶりは、大学の講義というより大演説というにふさわしかった。

実はこのタフーリ教授とも、大学に来てすぐアポイントメント（面会の約束）をとって会えたのだが、なにしろまだ私のイタリア語は心もとなかったから、眼の前に現われた髭面で黒縁の眼鏡をかけたこの堂々たる教授に圧倒され、思うことも言えず、よろしくと挨拶しただけで退散せざるをえなかったのだ。そんなわけで、しばらくは授業を通して彼の建築観を学ぶことにしたのである。

受講している学生を観察していて面白いのは、彼らのノートのとり方である。多くの人が、ぶ厚い日記帳だけもってきて、どの科目の内容も日付と無関係に気の向いたページに書き込んですましてしまう。よほど重要な事柄だけメモして、あとは話の内容をよく聞き、その場で頭にたたきこんでしまうのだ。彼らの抜群の記憶力のたまものであるばかりか、これもやはり、アチーブメント・テストを否定し、自分で考え、議論させる教育の一つの結果と見られる。

私が長々と苦労して説明した日本に関する話を一言もらさず覚えていて、それを要領よく整理し、面白おかしく仕立て上げ、他の人たちの前で実にうまく説明してくれる友人も多かった。こうしてみると、イタリア人はおしゃべりだ、と言って簡単には片づけられない本質的な問題がそこにはありそうだ。

ここでの教育は学生の主体性を尊重している。どの科目でも、あるテーマのもとに一年近くかけて調査、研究をおこない、試験の場でその成果を発表する形式をとる。授業と並行してゼミナールでそれを日常的に指導するのは若い助手たちである。しかも多くの場合、作業はグループで進められる。それは一九六八年以降の大学改革の中で学生の主張が通って実現したのだという。自己主張の強いイタリア人ではあるが、彼らは同時に社会生活のルールを身につけていると見えて、能力に応じた役割分担を互いにおこない、グループ作業をかなり巧みにこなしている。なかにはもちろん、この制度に便乗して、グループ仲間に頼って何もせずに単位をとるちゃっかり屋も多い。

国全体の生産性より個人の能力の開発を重んずるこの国では、高校の段階から好きな分野に専門分化し、建築志望者ならそのほとんどが、測量士コースか美術コースである程度の習練を積んでくる。しかも生来イタリア人は絵がうまいときているから、大学の建築教育では、技術的習練よりもむしろ、建築や都市計画の理論、哲学の勉強に重点が置かれている。それも抽象的な理論、純粋アカデミズムの理論ではなく、現代社会における建築の意味を直接問う内容のものである。

このような大学の雰囲気と今日のイタリアの社会状況が反映してか、ただでさえ議論好きな学生たちは、誰もが好んで政治の話を口にするのだ。ノートの上に教授陣を政党ごとに色分けしたリストを書いて説明してくれる者、社会施設計画の口述試験で中国の精神医療の話を持ち出したら、スターリン主義者の教授に酷評された、といって憤慨（ふんがい）する者など、初めのうちはこちらもいささか戸惑うことばかりであった。

謎解きの手法「建築類型学（けんちくるいけいがく）」

ヴェネツィアに到着した感動の冷めぬうちに、さっそく私は、研究室の仲間たちの助言に従いながら、授業の合間を縫ってこの町を実際に調べ始めることにした。

ヴェネツィアは、水の上に建設するという特異性を生かしながら、運河・道・広場・建物の組み合わせによって、環境に適応した実に合理的な都市空間を形成してきた。その上ここには、町全体を統一する明快な都市計画原理がないかわりに、一つ一つの場所に、島の形状、生い立ちの経緯と結びついた独自の意味がこめられている。

近代の論理的な思考法が世界を征覇する以前は、人々は数多くの断片的な豊かなイメージをつなぎ合わせることによって世界をとらえていたであろう。一見稚拙に見えるが部分部分は丹念に描かれている味のある古地図を見れば、そのことは明らかだ。そして現代に生きるわれわれもまた、夢の中では次々に現われるイメージの連続を追い求めている。一見論理がなく疲れそうに見えるヴェネツィアの中世的町並みの中を安堵感をもって歩けるというのも、この町の構成原理が実はこのような人間の本性としての認識の構造に、うまく重なっているからではないだろうか。そんなことを考えると、この複雑で意味ありげな都市は、その謎解きへの意欲をますます駆り立ててくれるのだ。

　こうして私は、図面とカメラとスケッチブックを抱え、ヴェネツィアの町を隈(くま)なく歩きまわった。袋小路(ふくろこうじ)の路地、中庭へはいって都市のしくみを裏から観察したり、貴族の邸宅から庶民長屋に至るさまざまな種類の住宅を民家調査風に丹念に調べた。

　このような私のヴェネツィアの都市研究を進めていく上で、二〇年近く前に出版されたサヴェリオ・ムラトーリとパオロ・マレットの二冊の本（S. Muratori, *Studi per una operante storia urbana di Venezia*, Roma, 1960, P. Maretto, *L'edilizia gotica Veneziana*, *Roma*, 1960）が最良の手引きになった。イタリア留学の大先輩で、ミラノで学び、実務の仕事もされた田島学(たじままなぶ)先生（現愛知産業大学教授）が入手しておられた貴重なこの二冊を見せていただく幸運に恵まれ、私は目を開かされた。どちらもヴェネツィア建築大学学生の実習としておこなわれた調査結果をまとめたもので、実際に町中にはいりこんで作成した地区の平面図を数多く収めている。ヴェネツィアでの調査を実際に始める前に、東京でこれらの本を使って予備調査を綿密におこなうことができたのは、私にとってまことに幸いであった。図面の上でヴェネツィアの広場や路地を隈なくまわり、一つ一つの場所のイメージを自分なりに頭の中に組み立てることができたのである。数年前の旅行の途中でこの町を一日歩いた空間体験がそれを助けてくれた。

しかし何よりもこれら二冊の本の意味は、都市の新しい見方、読み取り方を私に教えてくれたことにある。今は亡きムラトーリの門下から出て、その都市分析の方法論を発展させつつあるマレット（ヴェネツィア時代にはトリンカナート女史の助手をつとめたが、現在はジェノヴァ大学教授）をはじめとする研究者グループは、今日ムラトーリ学派と呼ばれ、イタリアの建築、都市計画の世界で重要な役割を果たし始めているのだ。

歴史的な都市の見方にも、お国柄があらわれる。イギリスや日本など多くの国では、その目に見える特徴、個性に関心が生まれ、街路に沿った景観の魅力的な変化や眺望、ランドマーク性（都市のシンボルや目印になるもの）などが評価された。

それにたいし、都市における歴史の厚みを誇るイタリアでは、いささか違うアプローチが発達した。建築や町並みの外観、表層のみを見るのではなく、その内部の空間構造に目を向けたのだ。この国の都市はどれも、古い時代に起源をもち、時間をかけて成長・発展してきたから、建築にもまた街区にも、人間の知恵を生かした多様な構成の手法が見られる。同時にまた、いろいろな時代の層が重なっている面白さがある。

しかも、都市発展の過程で、それぞれの時代の社会的要請や価値観に応えながら、新たな建築の構成や集合の形式、街区のつくり方を工夫し、高密ながらも居住性の高い優れた環境を生み出してきた。それゆえ、イタリア都市の研究では、建物の外観の様式ばかりか、その内部構造に目を向けてこそ醍醐味を味わえることになる。

ムラトーリ学派の人たちは、歴史の中で長い時間をかけて形成されてきた都市を、生命をもった生き物のように見る。すなわち、それを構成する各部分がお互いに関係をもちながら、時代の要求に応じて変化、置換(ちかん)を続け、全体のバランスを失わず、ゆるやかな成長、変化を続けていくものとしてとらえるのである。実際のイタリアの都市もこうしてつくられ、個性を育ててきた。すでに存在している魅力ある町並みを区画整理など、大規模開発によって強引に壊してしまう日本の戦後の発想とは対極的な見方といえよう。

そうした発想からすれば、都市の構成単位である建築は、ちょうど生き物を形づくる基本単位の細胞にあたることになる。すなわち建築も、生命体としての都市のトータルな環境系の中で形づくられるのだ。敷地割り、街区形態、空地(くうち)、道路(ヴェネツィアでは運河も含む)システムなどの中に建築が集合し、秩序づけられながら、都市の有機的な組織が織りなされているのだ。こうして建築を都市の文脈の中で考える発想にとって、この都市組織(tessuto urbano)という概念がきわめて重要になる。

その中にあって、建築は、それぞれの地域での長期にわたる建設活動の経験を通じて、気候風土などの自然条件や社会・経済条件に見合ったある合理的な空間の形式を獲得し、どれも類似した構成をとるようになる。それを建築類型(tipo edilizio)と呼ぶ。そこには、その土地の建築材料と関係する構造・技術的なハードな条件ばかりか、他の国や民族の支配・文化的影響などのソフトな条件も反映されてくる。

一つの都市には、貴族、庶民などの社会階級とも関係していくつかの系譜の類型が同時にあるし、どれも固定したものではなく、時代による社会的条件の変化によって、次の類型へと姿を変えていくのだ。このような都市を構成する建築の成立、発展のメカニズムを、類型という考え方を通して、動的に解き明かす方法が建築類型学（ティポロジア）(tipologia edilizia) であり、都市―建築を一体として把握するのに威力を発揮するのだ。

それはいうならば、複雑でわかりにくい都市へ切り込むための都市の解剖学であり、その生命を支えている内部の組織構造を明らかにしてくれるものである。また同時に、都市や建築の中に刻み込まれた痕跡をたどることによって、その有機体がこれまで歩んできた成長の軌跡も読み取りが可能となるのだ。たとえば、ヴェネツィアの各島にどのようにして広場が形成されてきたのかといった興味ある問題も、この方法でうまく解き明かせるというぐあいである。

さらに、この見方は、隣同士無意味な競合を繰り返したり、周辺の建築群とまったく異質な建物を建てようとする今日の建築のあり方が、結局は総体としての都市の環境を悪くしていることを教えてくれ、建築と都市の全体的なバランスのとれた設計方法を提起するのである。

歴史的な洞察を常に求めるイタリア人の中から生まれた、この建築類型学の考え方にふれて、私は数年来探していたものにようやくめぐりあえたような感動を覚えた。以来、ヴェネツィアをはじめとする複雑多様なイタリアの都市を解剖して、そのしくみを読み解く私の研究は、この方法によって支えられることになった。

なるほど、こうなっているのか

東京における図面の上での周到な予備調査を終え、ヴェネツィアに乗り込んできて、実際の広場や路地の中を、頭の中にすでにできあがっているイメージとダブらせながら歩くのは、実に楽しい作業だった。「なるほど、こうなっているのか」と謎が解けて喜んだり、「何だ、こんなに小さいのか」と自分の見込み違いに苦笑したりしながら、私はこの水の町を存分に歩きまわった。

都市空間を図面と写真だけからイメージするというのも、個々の建築空間以上に難しいものだ。なによりもまず、ヴェネツィアのようなぎっしり建てこんだ町の建物や広場のスケール感は、われわれ日本に居る者にとって非常につかみにくい。おまけに、ヴェネツィアには各地区の中心に当たる広場が、町中に複雑にちりばめられているから、それらの位置関係を有機的に理解するには、買物や立ち話でごったがえす太めのおばさんたちの間をすり抜けながら、いささか陰気くさい迷路のような狭い道を実際に何回も歩き、土地感を体で覚える以外に手がなかったのだ。

タンゲ、クロカワの名前が誰の口からも飛び出すほど、日本の現代建築をよく知っているイタリアの建築学生たちは、はるばるヴェネツィアまで建築を学びにやってきて、イタリア人以上に歴史に興味をもってこの町をのんびり調べ始めた私を見て、初めは大変けげんな顔をしていた。しかし、「日本もヨーロッパの先進国と同様、建設ブームを過ぎて低成長時代を迎えつつある今日、足元を見つめ、歴史的環境や伝統的文化を生かした都市計画に移行していく必要があるんだ」と私が説明すると、彼らはすぐに納得し、逆に「独自の歴史と文化を持つ日本こそ、すぐれた伝統と近代文明とを融合させた新しい道を切り開くべきだ」とわかったような口ぶりで説教してくれるのであった。

一軒一軒訪ね歩き、ある意味で生活の内側をのぞき込む私の調査は、常にうまくいくとは限らない。貴族の豪邸だと門衛にその場で追い返されることも少なくないし、老朽化した庶民住宅だと、逆にこちらが踏み込むのをためらってしまう。文化財保護委員会の仕事ですか、と尋ねられるのは悪い気がしないが、税務署の回し者か、と冗談ともなくうさんくさく見られるのには参ったこともある。またある時は、若主人に翌日の午後来るようにと言われ、期待に胸をふくらませて約束通り扉を叩いたら、「実は昨晩、年とった父親に話してみたが、調査とはいえ自分の家に見知らぬ他人が土足で踏み込むとは何ごとだ、とはねつけられてしまった。自分はあなた方の研究に協力してあげたいと思うのだが、まことに申し訳ない」と、体よく断わられ、一緒に訪ねた建築の学生たちとくやしがったこともある。

しかしながら、いつも神経をすり減らしていたのでは、このような調査が長続きするわけがない。調べていて一番うれしいのは、私の訪問を待ってましたとばかりに、主人が自分の家の歴史について得意気に説明してくれる時である。サンタ・マルゲリータの広場に面する初期ゴシック様式の味のある住宅にも、そんな歴史好きな老人が住んでいた。外階段を上りつめた二階で歯医者を開業する彼は、ヴェネツィア建築大学のスカットリン教授が描いた、この住宅の中庭まわりの復元図をもってきて、自分の家のいわれを語ってくれた。そこで私も自分の多少の知識を発表しながら、この家の建築史学的価値をほめると、彼は所を得たかのようにひとしきり自慢話をぶつのであった。

この町は、私のような作業をする者にとって天国である。夢中になって上を見上げていても、車に脅かされる心配はない。ただ、上からの鳩の糞の襲撃（ヴェネツィアでは、これは「幸運をもたらす」といわれている）と足元の犬のそれには用心しなければならない。この町でのびのび生きているのは、何も人間だけではないのだ。

　私のヴェネツィア研究を進めるには、現在残っている町並みをじっくり観察・分析するのと同時に、その結果を古地図と詳細に比較してみることがとりわけ重要となる。

　そこで、ヴェネツィア共和国の歴史を調べるのに便利なサン・マルコ広場のコレール博物館を訪れてみた。ここでは、豪華な総督の衣装、多彩豊麗な装身具、船の模型、古い文献、貨幣などを前にして、この共和国の栄華をしのぶことができる。ヴェネツィア都市形成史の研究にとって欠かせない、ヴェネツィア生まれの画家ヤコポ・デ・バルバリによって一五〇〇年に描かれたお目当ての鳥瞰図も、その古地図を集めたコーナーに収められていた。

　この地図には、当時の道・広場のシステム、建物の配列、窓の構成までが驚くほど詳細に描き込まれている。畳よりも大きいこの地図をじっと見つめていると、実際に町の空間の中を歩きまわっているような錯覚に陥りさえする。飛行機のない時代に、鳥瞰図の方式で高い視点から見た町の様子をこれだけ詳細に描くのは、大変な苦労である。デ・バルバリは一生をかけて、数多くの高い鐘楼に登り、丹念にスケッチをつづけていったに違いない。

　このような町を見下ろす古地図は、一五〇〇年代にイタリアの他の町々にも現われるが、このヴェネツィアのデ・バルバリの鳥瞰図は、時期の早さから見ても、精度の高さから見ても、他のものをしのいでいる。これもヴェネツィア文化の成熟を示す一つの指標といえるだろう。

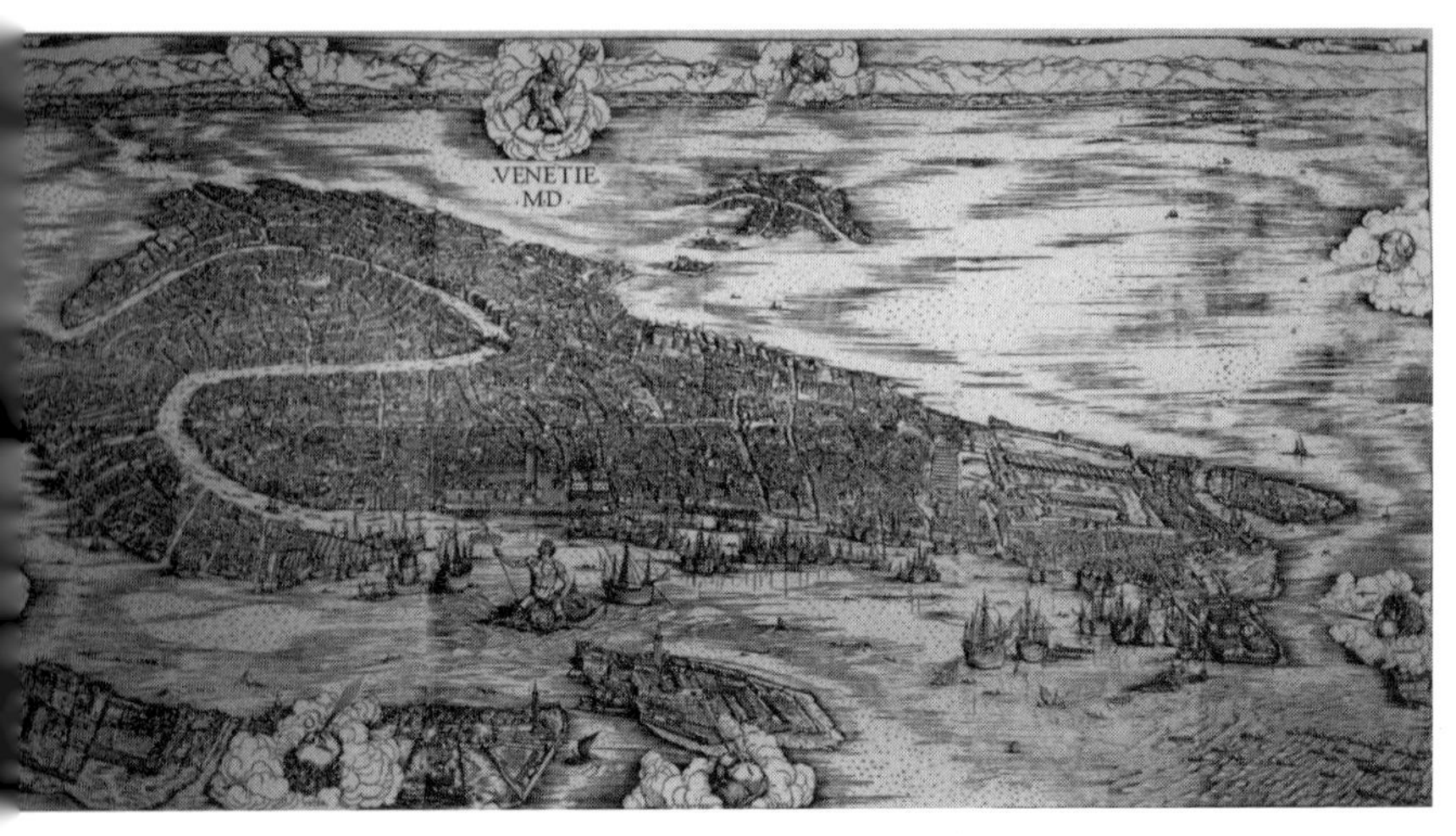

デ・バルバリの描いたヴェネツィア鳥瞰図(1500年)。中世の都市づくりでできあがった個性ある水上の迷宮都市、ヴェネツィアの全体像を見事に描いている

この一五〇〇年に描かれた古地図をじっくり観察してみると、当時の広場、道、運河のシステムと、それによって組織される住宅群の配列は、現在のものとほとんど違っていないことがわかる。建設の黄金期であるゴシック時代が幕を閉じる頃、ヒューマン・スペースをちりばめたヴェネツィア独特の都市構造はすでに完成していたのである。

またこの都市社会の政治形態にしても、やはりこの中世の興隆期に、ヴェネツィア独特の共和制民主主義のあり方が確立した。そこには、共和国の政治機構の頂点にいる総督、富裕な商人貴族階級によって選出され、国政の審議、総督の任命をおこなう大評議会、またこれによって選出され、公安事件などに大きな権限をもつ十人会議などからなる、巧妙にできた政治のからくりを見ることができたのである。

そこでまず私は、冒険的精神にあふれた真に建設的なこの中世のヴェネツィアを、時間をかけてじっくり調べることにした。

内海「ラグーナ」の島めぐり

春のうららかなある日、私は別府画伯、ヴェネツィア大学で日本語を教えておられた小林惺先生とともに、有名なヴェネツィア・ガラスの生産の中心地であるムラーノ島に住む友人のマリオ君に頼んで、ヴェネツィアの舟遊びを楽しんだ。と言っても、漁船風の小さな木のボートに船外機のモーターを取り付けただけの簡単なものである。車のないこの町では、ボートでラグーナ（島々が散在する浅い内海）へ乗り出し、釣糸を垂れたり、周辺の孤島へ横づけしてピクニックをすることが、手軽にできる最高のレジャーなのである。ヴェネツィアの二大祭り、七月下旬のレデントーレ教会の祭りにちなむ花火大会と九月上旬のゴンドラによる地区対抗レガッタを水上から見物するためにも、地元の人々にとってボートは欠かせない。そんなわけで、自家用ボートを持つ家もずいぶん多いのだ。この日のわれわれの第一の目的は、かつてラグーナの北の中心として栄えたトルチェッロ島の周辺を訪ね、ヴェネツィアの都市文明の源流を見きわめることにあった。

ヴェネツィアのうら寂しい北の岸辺で舫い綱を放ち、心地よい風を頬に受けながらラグーナの水面を小一時間行くと、われわれの小舟はトルチェッロ島へ着いた。ラグーナの北の中心として栄えたこの島には、今では人家もほとんどなく、二つの教会堂が往時の繁栄をしのばせるにすぎない。この島の周りには、ところどころ無造作な石積みの堤防で守られ、水面にかすかに姿をのぞかせる小島がいくつも見られる。華麗な都市文明が開花したヴェネツィアの地も、実は八世紀までは、このようなラグーナに浮かぶ寂しい群島であった。そこにヴェネト公国の新しい首府を移し建設を始めた中世の人々は、その後のヴェネツィアの繁栄を果たして頭に描いていたのであろうか。トルチェッロ島の静まりかえった運河沿いを、前方に古い教会堂の塔を見ながら歩いていると、思いは激動の中世の時代へと向かう。

五世紀から七世紀にかけて、ヴェネト地方は、フン族、ゴート族、ランゴバルド族の侵入によって揺り動かされていた。古代ローマの系統を継ぐ大陸側の都市民たちは、次々にラグーナの海岸づたいに居を移さざるをえなかった。これらの海に張り出した岬や島は、防衛上の理由から選ばれたが、同時に地中海の政治経済の中心に位置するコンスタンティノープル（現イスタンブール）と交易する上でも都合がよく、繁栄に導かれる可能性を内包していた。そして六三九年に、アルティーノ（メストレ近郊）の司教がトルチェッロ島に居を移し、これによってラグーナの島々への移住が決定的となった。さらに、すでにヴェネト公国として連合していた人々は、フランク王国の脅威から身を守り公国を強大にするために、単一の新しい政治的中心の建設を考えることになった。この中で新首府に選ばれたのが、防衛上、衛生上有利な条件をもち、伝統にも縛られない処女地リアルト（現在のヴェネツィアの中心）であった。こうして、それまで漁夫と塩焼が泥や葦の荒屋を構えながら慎ましく生活していた小群島に、九世紀初頭から、大建設事業が始まったのである。

石材、木材、煉瓦用の土、さらに飲料水の一部まで遠方から運んでこざるをえない島の上の都市建設は、狂気めいたものにも見える。しかし、この当時の激動の時代背景という時間軸と、ラグーナの特殊な立地条件という空間軸とがみごとな一致を見いだし、東方貿易によってもたらされる富に支えられて、都市文明史上屈指の作品の実現へと向かったのである。

　ヴェネツィアに煉瓦や石の本格的な住宅建築が登場するのは、一二世紀を待たねばならない。そしてそれ以前の木造の建築遺構は、残念ながら現在まったく残っていない。それでは初期の建設者たちは、ヴェネツィアの町のどこへ、どのように住み始めたのであろうか……。その様子を推測する手掛かりを、われわれは幸いヴェネツィア周辺に散在する古い小さな島々に求めることができる。トルチェッロ島のすぐ隣に浮かぶブラーノ島もその一つである。マリオ君の操(あやつ)るこのわれわれの小舟は、トルチェッロ島の岸辺を離れたのち、今も漁村として活気をもつこのブラーノ島の内部を貫く運河へと滑り込んだ。

　北の中心トルチェッロ島の政治、宗教そして社会的活動に結びついて生きてきたこの島は、一八世紀にトルチェッロ島がマラリアのために衰退したのち、その活動の一部を継承してきている。たくさんの小舟がつなぎとめてある岸辺には、春の陽光の中でのんびり網を繕(つくろ)う漁民に混じって、キャンバスに向かう絵かきの

ラグーナ(内海)の風景。トルチェッロ島の周辺を船でめぐると、華麗な都市文明を築くことになったヴェネツィアの原風景を想像することができる

ブラーノ島の路地に沿った庶民の生活空間。
トンネルの向こうが運河、手前が小広場

姿も見える。水辺に並ぶ住居群は、まるでその絵の具の原色を絞り出したような鮮やかな色に塗られ、目にまぶしい。われわれは舟を漁船の間に横づけして、岸に上がり、地図をにらみながら島を歩いてみた。

島内部の基本的構成を見ると、まず住民の生活を支える二本の主要な運河が、島の中央部を平行に貫いている。そして運河沿いの歩道からは、同じくらいの間隔で直角に何本もの路地がはいりこんでいる。これらの路地に沿って、平屋か二階建ての質素な住居群が単純に並んでいる。その路地を通り抜けると裏の小広場に出る。そこは女子どもの日常生活の舞台である。島特産のレースを編む中年女たち、魚を焼いたり洗濯物を干すはつらつとした娘たち、あるいは椅子を持ち出して話し込む黒ずくめの老女たち、誰もが平和なこの島の生活を謳歌（おうか）しているようだ。物好きにもこんな裏側にはいりこんだわれわれを見て、まだまだ観光ずれしていない素朴な彼らの口からは、「ボンジョルノ（今日は）」の挨拶がいかにも自然にとび出してくる。

このブラーノ島に見られるような単純明快な空間構成は、運河に強く依存する小規模な集落にふさわしいものとして誕生し、今日に至るまで生き続けてきたと考えられる。このような空間の構成原理が、実はヴェネツィアの初期の地区形成にも見られたものなのだ。

のんびり島を一巡したわれわれは、運河沿いの居酒屋で、地元でとれた小魚のフライをつまみにワインを二、三杯干してから、夕暮れ時のラグーナの海を上機嫌でヴェネツィアへと戻った。

一番好きな広場サン・ジャコモ・ダローリオ

ヴェネツィアの数多い庶民広場の中でも、サン・ジャコモ・ダローリオのカンポ（生活広場）は、私の最も好きな場所の一つである。この町には珍しく木々の緑が鮮やかなすがすがしい広場なのだ。よほどの通を除けば、観光客がここまでやって来ることはまずない。居酒屋の分布はその場所の庶民性の強さを知る恰好の指標であるが、このカンポの周りにも軒並み居酒屋が続き、いつも人々でごったがえしている。公共の使用に迷惑を与えるとして広場でのサッカーを禁ずるこの町の規則も、元気のいい子どもたちにはまったく効力を持たないようだ。ボールを追う彼らの歓声がここにもこだましている。

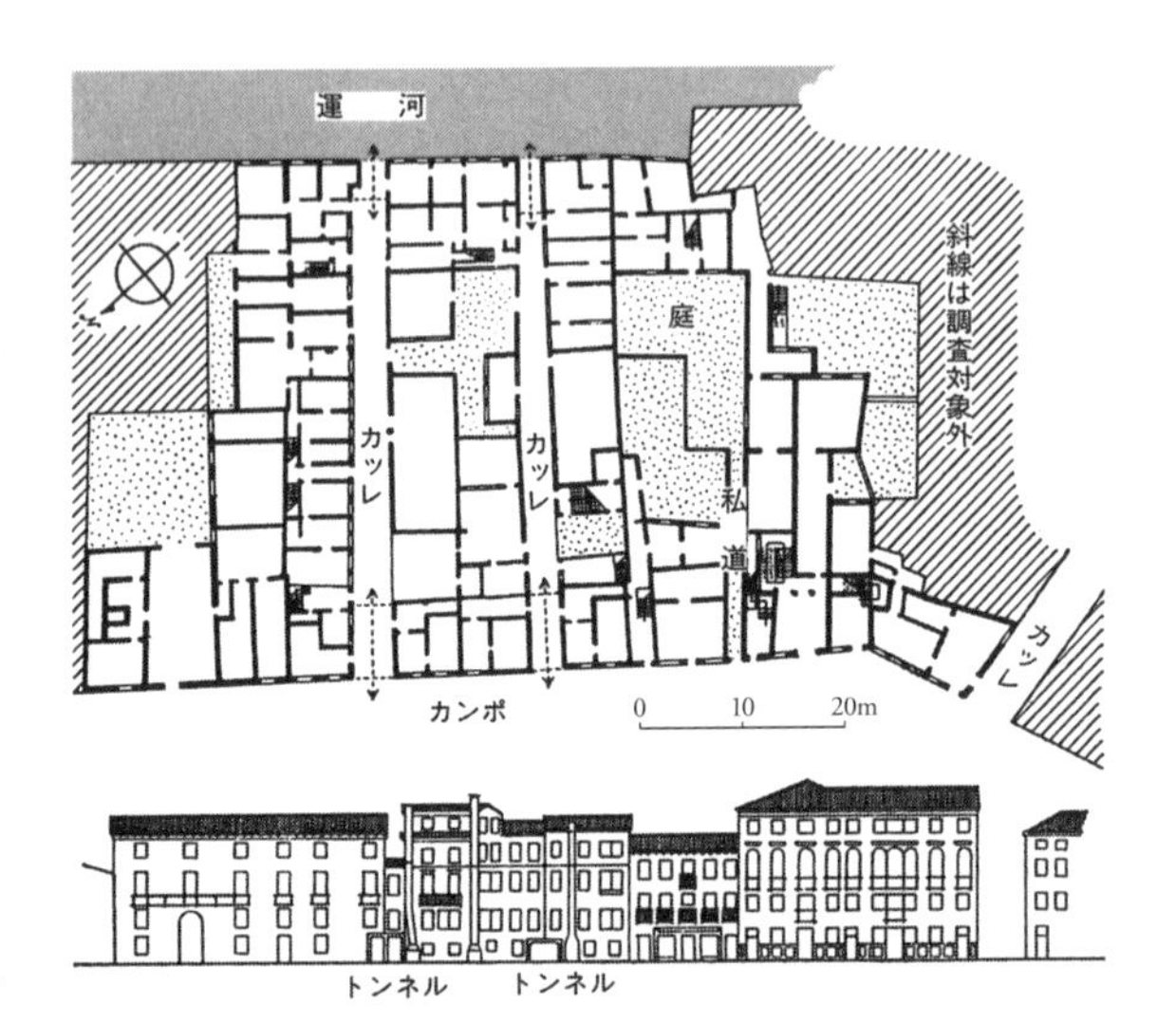

サン・ジャコモ・ダローリオ広場の1階平面図と正面図。生活感あふれるにぎやかなカンポ(生活広場)から、トンネルを通り抜けて何本かのカッレ(路地)がはいりこみ、裏手に落ちついた庶民的な住空間をつくり出す

サン・ジャコモ・ダローリオ広場の東側の壁面。ほぼ等間隔で奥に路地が伸びる

この広場の西面には、鈍重な形の古い鐘楼を持ち、湾曲した後陣の裏を見せて建つ教会がある。ヴェネツィアでは九世紀から一二世紀にかけて、宗教権力とうまく結んだ有力家族が、各島に教区教会堂を建設しながらコミュニティづくりを進めた。このサン・ジャコモの教会もその創設が九世紀にまでさかのぼることから、この教区に属する木造の質素な住居群がその頃すでにある程度存在していた、と想像できる。その位置を現在の建てこんだ町並みの中に探しあてることが果たして可能であろうか。

そこで広場を囲む最も重要な東側の壁面に目を向けると、二ヵ所にトンネルが抜け、そこから広場に垂直な路地が平行にはいりこんでいるのを発見できる。この町では、都市空間の構成要素のすべてにヴェネツィア方言の名称がついており、トンネルはソットポルテゴ、路地あるいは小道はカッレと呼ばれる。これらのカッレは裏の運河に垂直に行き当たり、そこに小舟を乗りつけた人々にとってのサービス路として使われる。隣の島へ通ずる公道と、現在は私道になった路地を加えると、ほぼ等間隔に通る四本のカッレが運河と広場を結んでいる様子が浮かび上がる。そしてそれらのカッレによって長屋風の住宅群が組織されている。この構成原理こそ、ブラーノ島に見られるものと同一であり、水辺に生まれた小規模な集落の名残りを示すものと考えられる。このように、建物の遺構そのものが残っていなくとも、町の中に刻み込まれたいわゆる都市組織の構成原理の読み取りによって、ヴェネツィアの最初の定住地の位置と大きさを知ることができるのだ。私のいう都市の解剖学にとって、これはまことに重要な方法である。

この古い都市組織の中に建ち並ぶ庶民住宅群には、大学に近いため、多くの学生が住んでいた。

ミラノ娘のアンジェラとギリシア娘のステッラが一緒に住む安アパートもそこにあった。普通は往来に面した一階は湿気やすいため住まいには適さないが、学生や老人用の小さな安アパートの場合には、そこにあることも珍しくない。大家に許可をもらってモダンな壁紙を貼れば、うっとうしい古い家も、学生用のスマートなアパートに早変わりする。

イタリアの学生たちはなかなかの堅実家で、ディスコやバーで無駄金を落としはしない。そもそも町には歓楽街的なものはほとんどないと言ってよい。誰もが、生来話術の巧みな役者であるイタリア人にとって、楽しむのに小道具も特別な刺激もいらない。場所と仲間さえあれば、それで十分なのだ。最近のエピソードを一人ひとりがおどけて、ジェスチャーたっぷりに披露すれば、それだけで次々と芝居が展開していくことになる。意外に寂しがりやの彼らは、夜のひとときを、たいていこうして仲間と一緒に過ごすのだ。夕食時に学生食堂で落ち合った後、近くのサンタ・マリア・グロリオーザ・デイ・フラーリ教会前のカフェでエスプレッソを立ち飲みし、灯のともった運河沿いの石畳の舗道をぶらぶら歩いてから、このサン・ジャコモ・ダローリオ広場の路地裏にある、彼女たちのアパートに集まって、夜遅くまでにぎやかに過ごすことがよくあった。

ところで、教区教会堂に接して生まれ、今では地区の生活広場の代名詞になっているカンポも、それが広場としての体裁を整えるには、長い時間がかかった。そもそも、人の行き来も物資の運搬も、すべて船に頼った初期形成時代のヴェネツィアでは、各集落にとって水の側が表玄関であった。一方、裏側のカンポは、ブラーノに見られるような住民にとっての共同の作業場として、あるいは果実や野菜を栽培する農地として使われていた。本来田畑を意味するカンポという呼び方自体、そのことを暗示している。このカンポが地区の生活にとっての表側の空間になるには、高密度な都市ができあがり、島相互間に橋・道の歩行システムが整備される一四、一五世紀のゴシック時代を待たねばならない。

ヴェネツィアはイタリアで最も広場の豊かな町であろう。原則として一つの島に一つの広場があるのだ。しかし面白いことに、その数多い広場のうち、イタリア語で広場を意味する「ピアッツァ」の称号は、都市全体の政治・宗教の中心サン・マルコ広場にのみ与えられ、他の地区のコミュニティ生活の中心の広場は、いずれも「カンポ」と呼ばれている。サン・マルコ広場が共和国の権威の象徴として造形美に重きを置いてつくられた晴れがましい広場であるのに比べ、カンポは、自然条件と生活の必要に応じながら形成された、まさに住民のための生活広場なのである。

古地図が発信する都市のしくみ

ヴェネツィアは、このようなカンポと教区教会堂を中心とした七〇以上の居住地がばらばらに存在する状態から出発し、一つ一つの場が独特の形態をもつような多核都市として成長していった。しかし都市の成長にともない、リアルトからサン・マルコにかけての区域が、次第に都市の中心として政治、行政、経済の機能を担うようになった。このあたりは、今でも銀行、オフィス、商店が並ぶ町の中心にあたる。とはいえ、この二点間を結ぶ道は人工的に一気に作られたものではないから、狭い上に何度も折れ曲がらねばならず、町のメイン・ストリートとはとても信じがたいほどだ。

サン・マルコ地区は、総督の館（やかた）がリアルトからこの地へ移されて以来、町の政治行政の中心地になった。次いで、八二八年に総督の私設礼拝堂として建設されたサン・マルコ寺院に、ヴェネツィアの守護聖人、聖マルコの遺骸（いがい）が葬られたことにより、この場所の宗教的価値も著しく高められた。この歴史的出来事は、強大な国家の建設をめざすヴェネツィア商人たちが見せた幾多の狡猾（こうかつ）な策謀（さくぼう）のうちでも最たるものだろう。この聖マルコの遺骸は、実は、ビザンツ帝国からの完全な独立を焦がれるヴェネツィア人の手で、ギリシアの聖テオドルスに代わる、新たな町の守護聖人として祭るために、アレクサンドリアから盗み出されたものなのだ。

観光客の少ない冬のうちは、私は暇な時間ができるとこのサン・マルコ広場へふらっと現われ、屋外のカフェの椅子に腰をおろし、さまざまな武勇伝に包まれたこの広場の歴史を思い起こしながら、まわりの建築群の雄姿をのんびりスケッチして楽しんだ。ゲーテが『イタリア紀行』の中で「素晴らしい馬の一群だ」と賞賛したサン・マルコ寺院正面のブロンズの四頭の馬も、いわくつきのものである。もともとこれは、第四回十字軍の際、ヴェネツィア商人たちがコンスタンティノープルから持ち帰った略奪品であり、しかもゲーテの旅の直後ナポレオンによってパリに持ち去られたが、彼の没落後、ヴェネツィア人が奪還してこの場所に戻したという波乱に富んだ歴史を持つ。

一二世紀中頃に描かれ、のちに一八世紀の歴史家テマンツァによって甦り、出版された古地図は、初期形成時代を終えつつあるヴェネツィアの当時の様子をよく伝えている。一般に古い地図は、デフォルメ（変形）が大きく、正確な史料としては使いにくいものの、逆にそれに象徴的に描き込まれた情報によって、人々が都市のどんな構成要素に関心をもっていたかを教えてくれる。この地図には、ヴェネツィアの当時の大体の大きさと形態に加え、町の生命を支える運河システムと、すでに形成を終えた七〇以上のすべての教区教会堂が鮮明に描かれている。また威嚇的な容貌をもつサン・マルコ広場の総督館が見られ、それがすでに都市の心臓部として位置づけられていたことが知られる。

さらにこの地図は、ラグーナの浅い海の中にめぐる水路の筋をはっきりとなぞっており、水と共に生きるこの共和国にとって、船の交通がいかに重要であったかを語っている。広い水面に囲

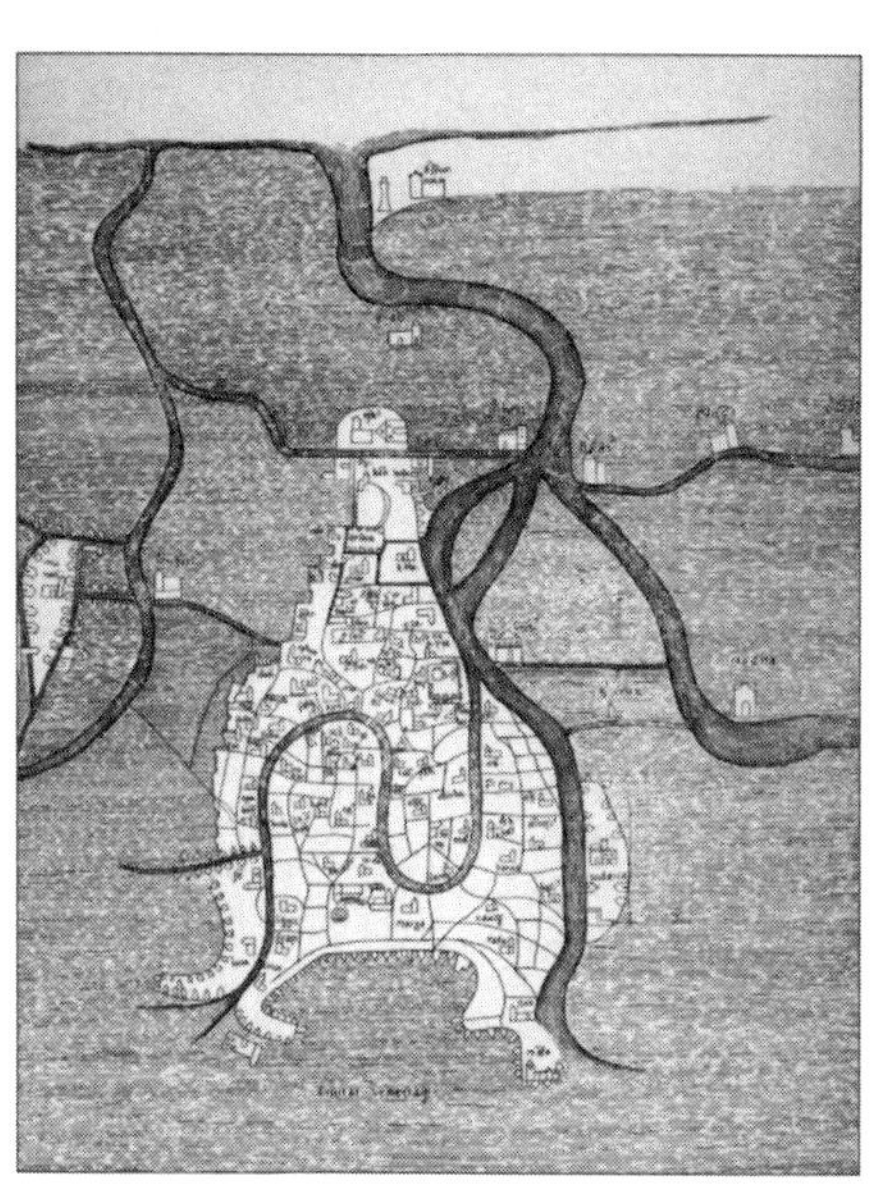

テマンツァによって出版された12世紀中頃のヴェネツィアを示す古地図。ラグーナをめぐる水の流れと島々の間を結ぶ網目状の運河システムが強調して描かれ、水と共生する都市の姿をよく表わしている

われ、運河の所在も簡単には見分けのつかないラグーナの中心に位置するヴェネツィアは、天然の要塞であった。この内海の中を、深みにはまったり浅瀬に乗り上げたりせず安全に航行できたのは、地理と水理の状態に明るい、地元の船乗りに限られていたからである。

第二章　迷宮都市ヴェネツィアの歴史を読む

ビザンティン時代の町並みを読む

約三世紀にわたる初期形成時代に、運河システムによって島の集合体を結びつける独特の都市構造を見いだし、町づくりの基礎固めを終えたヴェネツィアは、一二世紀より始まるビザンティン時代に入ると、華麗な都市の建設へ本格的に乗り出した。まず一二世紀には、地中海での勢力を伸ばし、東方貿易で大きな利益を得るようになった。そして、法王と神聖ローマ帝国皇帝フリードリヒ一世バルバロッサの会見を実現させ、それによって世界の政治の檜舞台(ひのきぶたい)へ躍り出た。さらに、大軍事力を背景に第四回十字軍の主力として遠征したヴェネツィア商人たちは、聖戦を逸脱してコンスタンティノープルを征服し(一二〇四年)、バルカン半島、エーゲ群島、トルコ、黒海、そして中近東にまで植民地を広げた。こうして東方を完全に制したヴェネツィアは、東洋―西洋間の中央市場としての社会的、経済的性格をもつようになった。

この繁栄のもとで本格的な都市の建設と芸術の興隆の時代が訪れたのである。「その芸術は富が生んだ息子たちであり、商業こそその富の父である」とテマンツァは書き残している。

冒険的野望に富む商人貴族たちは、一二世紀初めの度重なる大火への反省に基づき、木造から煉瓦造り・石造りへの切り替えを実現しながら、本格的な町づくりに乗り出した。新たに開発される住宅地の構成原理は、それまでのプリミティブな居住地とはまったく異なるものだった。商人貴族である主人の住む主屋、それに仕える家族の住居、サービス用の建物がコルテと呼ばれる中庭を囲んで集合する、複合的な形式が登場したのである。それは、商人貴族が主導権を握った新しい社会のあり方を反映している。広くとられた各コルテにはこの数家族専用の井戸（貯水槽）も設置され、快適な居住条件をもつ独立性の強い生活環境が生み出された。

このコルテ（中庭）を囲む建築複合体が運河に沿っていくつも並ぶ中心性のない地区構造がこの時代の産物であり、ヴェネツィアの密集した古い中心部のあちこちに今なおはっきりと刻み込まれている。私の調査の目的の一つは、このように実際現在の町並みの中に残っている物を手掛かりに、当時の社会状況、生活環境を再構成してみることにある。目に見える建築・都市の形態や配列構成の中には、各時代の家族関係、社会関係、コミュニティの結合原理、さらには宗教観、世界観といったもろもろの内容が投影されているはずである。したがって、このように現存する物の読み取りから、過去の状況を具体的な場の上にヴィジュアルに再構成してみれば、書き残された史料をもとに叙述される一般の歴史とはまた違った味が出てくる、と思われる。

よそ者を拒む迷宮構造（めいきゅうこうぞう）の貴族住宅群

当時の町の様子をしのぶために、まず町の中心リアルト橋から少し鉄道駅へ寄った、サン・ジョヴァンニ・グリゾストモ島へ行ってみよう。

ヴェネツィアの町には、自然の大きな水路を周囲から計画的に限定し整備してできた半自然、半人工的幹線水路であるカナル・グランデと呼ばれる大運河が逆S字形に貫いているが、本格的な煉瓦建築もまず初めは、この運河を避け、水を制御しやすい内部の小運河に沿って建てられた。

今でこそ町の裏手の薄汚れた地味な町並みとなっているが、この一角には、そうそうたる歴史を誇るアマーディ家、モロジーニ家、ポーロ家が、それぞれ独立したコルテを囲んで住んでいた。

このモロジーニ家は、最も古いヴェネツィアの家系の一つで、この地に九～一〇世紀にすでに要塞風の住居を構えていたと言われる。歴代四人の総督、三人の総督夫人、二人の枢機卿らを輩出してきたことを見ても、その権勢の大きさがうかがえる。またアマーディ家は、やはり古い時代にクレモナとルッカからやってきて、ヴェネツィアで巨富を得た。神聖ローマ帝国皇帝フリードリヒ三世がヴェネツィアを来訪した際、このコルテに臨む建物に招かれて宿泊したと伝えられる。

そしてポーロ家は、かのマルコ・ポーロ（一二五四～一三二四）を生んだ一族である。彼の東方についての土産話がいつも桁違い（けたちがい）に大きくふくれたために、Il Milione（百万旦那）という異名をとっていたことから、この中庭も、コルテ・デル・ミリオンと呼ばれている。古い建築要素は、これら三つのコルテ（中庭）の中でもここに最もよく残っている。舟を降り、高い建物で囲まれた大きなコルテを進むと、建物の右コーナーに、一二世紀の動植物模様の浮き彫りをもつビザンティン様式のアーチがかかっている。二階までがオリジナルの部分で、ずんぐりした窓のアーチ、アカンサスのコーニス（蛇腹）に、ビザンティン様式の素朴な美しさを見てとれる。三階はゴシック時代の窓をもち、四、五階は様式的特色のない一七世紀以降の付加物である。

このようにイタリアの石や煉瓦の建築は、一度できあがってからのちも、生き物のように上方へ増殖していくのである。イタリア人は、こうしてできた建物全体を一つの様式で無理に統合し

マルコ・ポーロの生家があったといわれる貴族住宅の中庭コルテ・デル・ミリオン周辺。
上右：コルテ・デル・ミリオン周辺1階平面図。まずは水を制御しやすい内部の小運河に沿って、有力家が煉瓦造りの建築複合体をコルテ（中庭）を囲む形で建設した
上左：ビザンティン様式の半円アーチ（12世紀）
下：アーチ越しに古い建物が見えるが、2階までがビザンティン様式のオリジナル部分である

ようとは考えない。潔癖な統一感は、血の気の多いイタリア人にはむしろ冷たく映るのであろうか。あるいは、古代ローマの円形闘技場や中世の教会の鐘楼を占拠し、住みつくことまでなんなくやり遂げるたくましきイタリア人にとって、建物正面を小綺麗に統一することなど眼中にないのであろうか。ヴェネツィアの建物には、下から上までどの階の窓も、すべて違う様式を示すものも珍しくない。それがかえって建物に刻み込まれた歴史のひだを感じさせ、ごたまぜ特有の温かみのある複合的な魅力を生むことになる。

このコルテ・デル・ミリオンのもう一つの見所は、コルテ奥の建物中央にトンネルが通り抜けていることである。本来商人貴族の私的な庭として生まれたこの空間も、一六世紀に、高密化した都市内部での歩行の便を考えて、公共空間として開放され、一階部分に島の内部へ通ずるための公共通路がとられたというわけである。

このように、のちの新たな社会的要請にたいしても、大規模な破壊というおおげさな外科手術的手段を選ぶのでなく、古い構成を生かしながら部分的な改造で柔軟に応えてきたところに、変化に富む豊かな空間が連続的に連なる、ヴェネツィア独特の町並みが形成された秘密がある。このコルテを出て向こう側の島へ渡る橋も、建物の破壊による道のつけ替えをおこなわず、斜めによじってかけられている。

私がこの奥まった観光客もめったにはいりこまないコルテへ図面をもって足繁く通っていたのを知ってか、ある日、毛並みのよさそうなシェパードを連れた中年の紳士が話しかけてきた。そしてこのコルテに面する一階の自分のオフィスへ案内してくれた。もちろんこの生粋のヴェネツィア人のインテリが、自分のもつ家屋のいわれを知らぬはずはない。絶版となり私も喉から手の出るほど欲しい貴重な本をおもむろに取り出し、その説明を読んでくれた。ちょっとした家ならどこでも、自分の町の歴史に関する文献が書棚を埋めている。そして彼らの愛郷心もまた大変なものである。歴史抜きには彼らの生活も文化も意味を成さない、といっても過言ではない。そして彼らの愛郷心もまた大変なものである。たしかに、一〇〇〇年以上もの間、都市国家の歴史の中に生きてきた彼らは、統一されてまだ一〇〇年ちょっとにすぎないイタリアの国家には、どうしても愛着がもてないようだ。彼らが「俺はヴェネツィア人であってイタリア人ではないぞ」と言い張るのもうなずける。

水と陸に開かれた商館建築

内部の小運河沿いに並ぶコルテをもつ貴族住宅群に続き、いよいよヴェネツィアの古くからの有力な船乗りの一族ダ・モスト家の住宅（一二世紀）のような、カナル・グランデに直接面し、裏に庭をもつ商館建築が登場する。この建物は、現存するヴェネツィアの商人貴族住宅の中でも最古のものの一つで、プラン（平面）、ファサード（正面）の本来の形式を今日まで伝えている。こぢんまりした傷みもひどいこのパラッツォすなわち貴族住宅は、今ではカナル・グランデを船で通っても、周囲のきらびやかな建築に目を奪われて見落としがちである。だがよく見れば、一階の馬蹄形アーチ、逆四角錐台形の柱頭、二階の装飾的アーチ窓、アカンサスの葉飾りのあるコーニス、味のあるレリーフなどの要素を、均整のとれたプロポーションの中に収めたファサード構成は、洗練されたビザンティン建築のみが持ちうる気品を感じさせる。

この町の建築にヨーロッパでは珍しい東方の香をもたらしたのも、ほかならぬビザンツ帝国によるヴェネツィア支配であった。この地にヴェネツィア共和国の首府が移って間もない九世紀前半に、東ローマ皇帝レオーネ五世は、サン・ザッカリア教会堂建設のためギリシア人芸術家を派遣した。彼らはその後長くこの地に留まって、都市の建設にも協力することになった。そのため教会建築ばかりか住宅建築にも早くからビザンティン様式の影響が現われ、素朴でのびやかな、それぞれに独自の意味をこめた装飾要素がファサードを飾ることになったのである。

これらの建築には、独創的な建設技術の開発に支えられてカナル・グランデ沿いの町づくりに乗り出した、当時の商人貴族の心意気がうかがえる。その水際における建設技術とは次のようなものである。まず、カラマツまたはカシの杭群を堅いカラント層まで打ち込み、その上にカラマツの板材を並べたテーブル状の台を置き、その上に硬くて海水に強いイストリア（ヴェネツィアから東へ一〇〇キロ地点の現在クロアチアにあたる地方）産の石材によって土台を築く。そこから柱または壁が立ち上がる。水に直接触れるのはイストリア石だけであり、木の部分は泥中で鉱化作用を受け、むしろ耐久性を増すのである。

ヴェネツィアの地中には、生き物の根のように無数の木の杭（くい）が打ち込まれている。住宅の場合、荷重のかかる壁の下だけに帯状に打つが、塔や教会などの大建築の場合、全面に打つべた杭とする。一九〇五年に突如途中から瓦解（がかい）したサン・マルコ広場の鐘楼の再建工事の際に、その地中の無数の杭群が姿を現わし、人々を驚かせたという。

こうして直接水際に建ったこの時代のパラッツォは、ヴェネト・ビザンティン様式と呼ばれ、

12世紀の商館建築ダ・モスト家の住宅正面。大運河に面したビザンティン様式の商館建築の典型で、水際に船着場として連続アーチの柱廊玄関をもつのが特徴

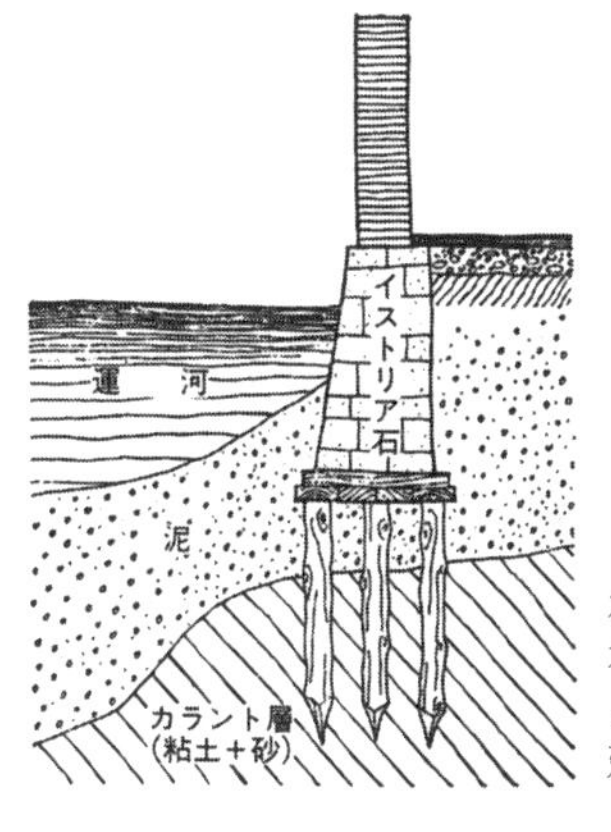

水上の浮島ヴェネツィアの建築基礎。木杭を無数に打ちつけたこの基礎によって、水から直接立ち上がる住宅建築ができるようになった

ヴェネツィア住宅史の原型となった。

この様式のパラッツォ（貴族住宅）の基本的構成の成立には、次の二つの要因を考えることができる。まず平面構成には、水との結びつきがよく反映されている。商人貴族の館であるパラッツォは、物資の搬入・搬出のために直接水に面して連続アーチの柱廊玄関をもつが、同時に背後でも、裏庭（コルテ）が島の内部に結びつくためのもう一つ玄関としての役割を果たしていた。このように水と陸の両方に顔を向けるための建築的解決が、この町の住宅に課せられた最大の課題であった。この二極性から生まれ出たのが、運河に直角な中央軸をもつヴェネツィア特有の三列構成の住宅である。

またファサード構成には、ヴェネツィア周辺の大陸部にローカルな伝統として残っていた、後期ローマ時代の別荘（ヴィッラ）の建築様式を取り入れたといわれる。フォンダコ・デイ・トゥルキ（トルコ商館）に見られる、一階に大きなアーチの並ぶ柱廊玄関、二階に小アーチ窓の並ぶ列柱廊を配し、両側から塔状の部分ではさむ方法がそれである。こうして、水に面して開放的な構成をとる、軽やかなヴェネツィアらしい建築表現が獲得された。

このように、一二世紀に登場した運河に面するヴェネト・ビザンティン様式の商館建築によってヴェネツィア住宅の基礎ができ、以後一五世紀末までの約四世紀間に、この町独特の建築様式が完成することになる。この間の前半にあたる一二〜一三世紀をビザンティン時代、後半の一四〜一五世紀をゴシック時代と見ることができる。

すでに述べたように、イタリアでは今日、都市の構成単位である建築の形成を都市組織（地割、街区形態、空地・道路・運河システムの中に建築が秩序づけられながら集合してできている全体的組織）の形成と結びつけながら分析する建築類型学（ティポロジア）が確立されている。これからしばらく、ヴェネツィアの都市空間を、この方法に基づきながら建築を通して解剖していくとしよう。この町特有の住宅形式が完成し、都市の構造もほぼ決定するゴシック時代末までが、その対象として有効である。特に、ヴェネツィア市民にとって生活の中心となる広場がどのように形成されるかに注目していきたい。

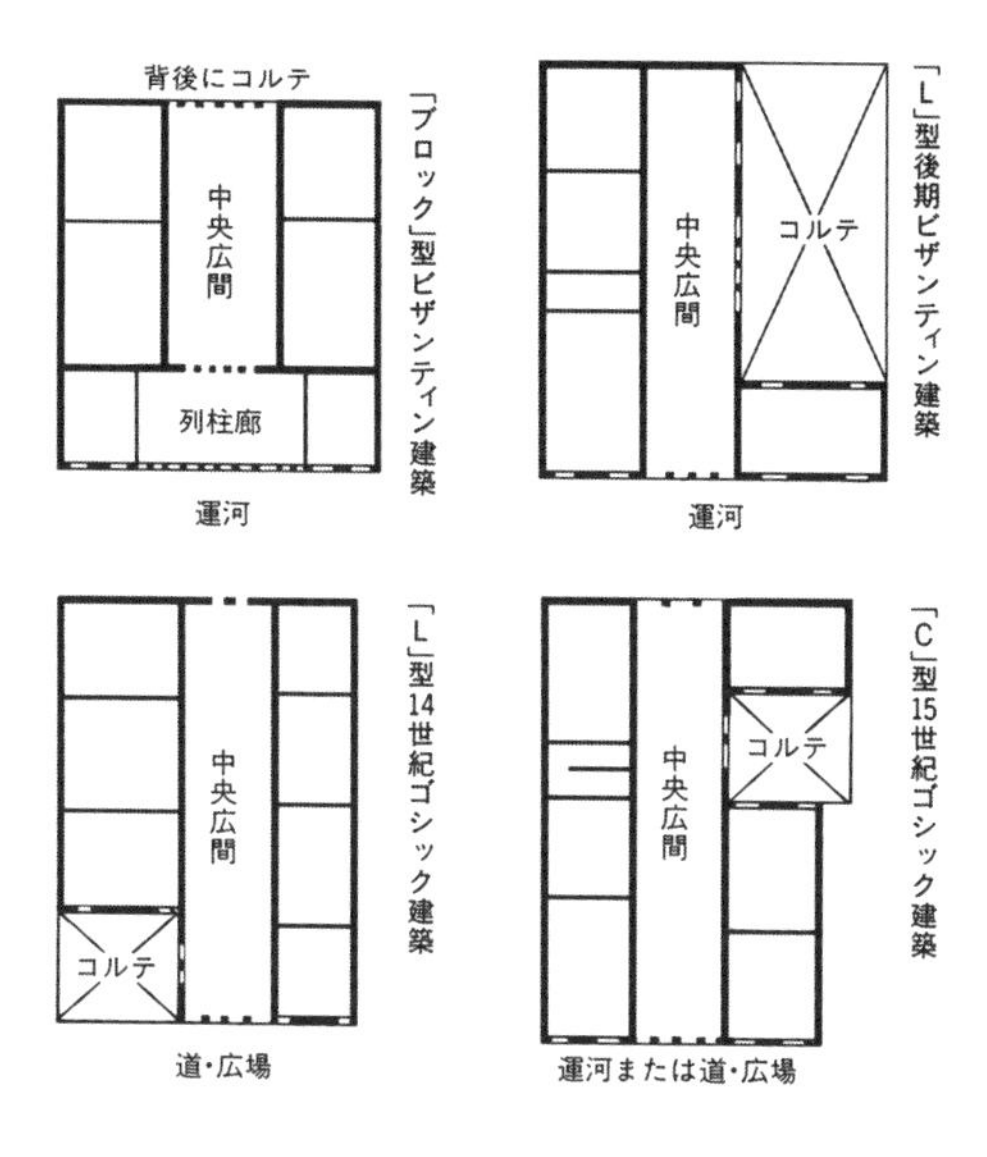

住宅の平面図から見た建築類型の変遷。都市化とともに変遷する住宅建築の平面形式に着目することによって、複雑なヴェネツィアの都市空間を読み解くことができる

ゴンドラでサン・シルヴェストロ地区へ

ビザンティン時代の大規模な商館建築は、ヴェネツィアの古来の商業の中心、リアルト地区に近いカナル・グランデ沿いに集中している。これらは三列構成のシンメトリーな古典的形態をもち、「ブロック型」と呼ばれる。この類型に属する建築の背後には、大きなコルテを中心に付属建築物が並び、独立性の高い生活環境が形成されている。この時代の代表的建築で市民に最も親しまれているのは、現在市庁舎として使われているロレダン家の住宅（一三世紀）である。濃緑や赤紫の色大理石をほどよくちりばめ、連続アーチによる明るく開放的なファサード構成を見せている。イタリアの中世建築を利用した市庁舎で、これほど軽やかで優美なものがほかにあろうか。玄関に入って振り返ると、ヴェネト・ビザンティン様式の列柱越しに陽光のまぶしいカナル・グランデの水面が目に映る。

ある日私は、ユネスコ主催のヴェネツィア救済国際会議に出席中の朝日新聞の木原啓吉（きはらけいきち）氏と、二階の厳粛な市議会場を通って、奥のカナル・グランデを見下ろす市長室を訪ねた。社会党の若手市長マリオ・リゴ氏は、大の日本びいきで、この町の保存問題、都市計画について丁寧に説明してくれた。そして最後に、ヴェネツィア保存の図面や資料を持っていつか日本を訪ねたい、とつけ加えることも忘れなかった。

市庁舎の前からは、今ではもう残り少なくなったゴンドラの渡し舟に揺られ、対岸のサン・シルヴェストロ地区へ渡ることができる。ここには、ヴェネト・ビザンティン様式の商館建築がカ

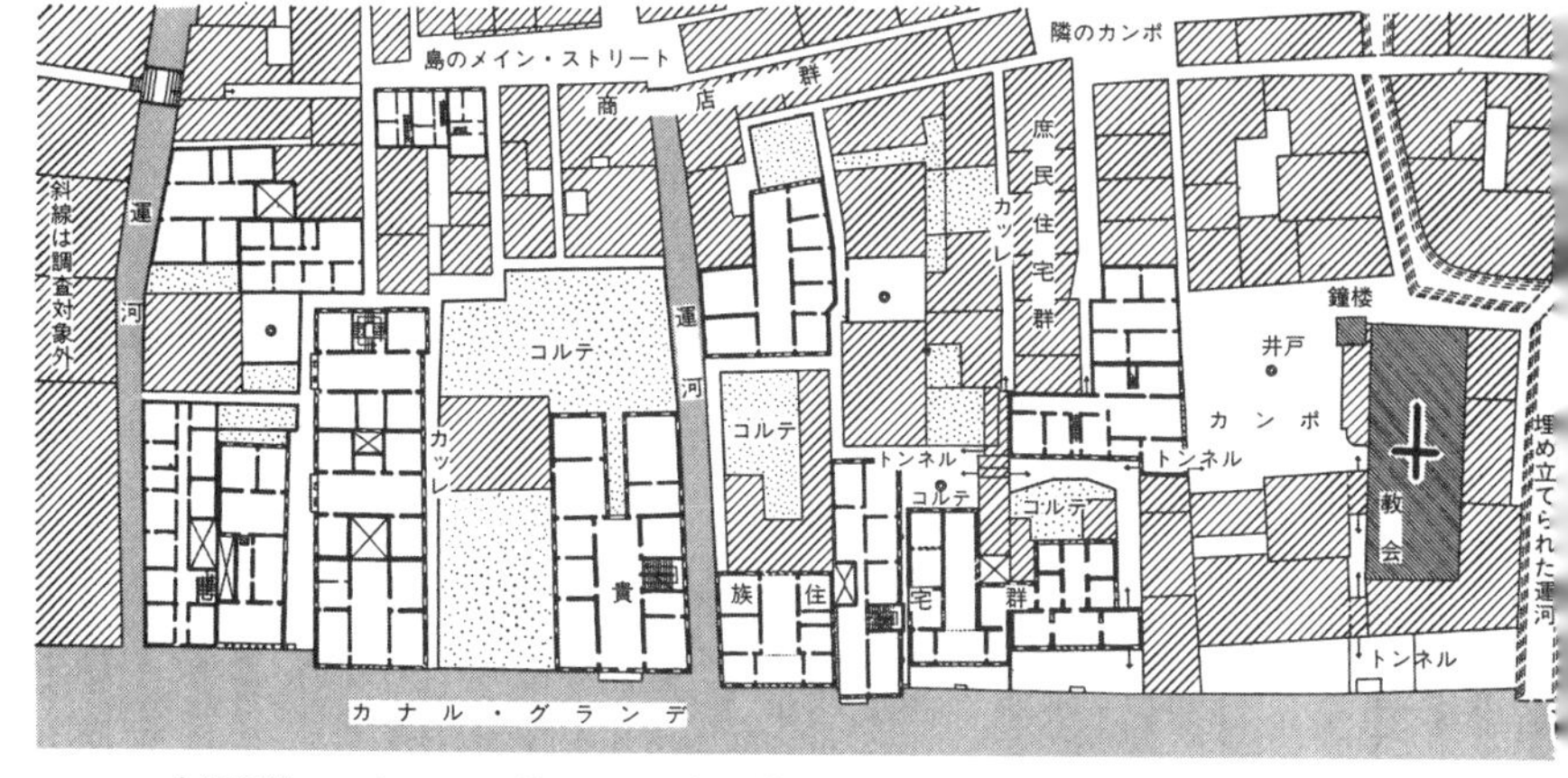

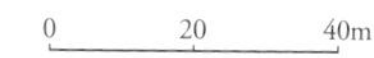

大運河沿いのサン・シルヴェストロ地区2階平面図。リアルト市場に近いこの地区には、ビザンティン時代の「ブロック型」の商館建築がずらっと建ち並ぶ

サン・シルヴェストロ地区。ビザンティン時代の商館建築が並ぶ

ナル・グランデに面して一〇棟近く建ち並び、この時代の典型的な都市構成原理が今日でもはっきり読み取れる。

運河側では、「ブロック型」の建築類型をとるパラッツォのそれぞれが趣向をこらしたファサードの華やかさを競いながらも、ほぼそろった間口の繰り返しによって、そこにリズミカルな調和が保たれている。それにたいし、各建物の奥行きはばらばらで、裏手にはそれぞれ勝手にコルテや付属の建物がくっついているため、地区としてのまとまりが著しく悪い。ところどころにとり残され塀で囲われた空地の茂みの中には、カトリックの信心深い老女の与える餌を頼って、たくさんの猫が住みついている。華やかな光あふれるカナル・グランデのすぐ裏に、憂愁に包まれたヴェネツィアの日陰部がある。こんな裏側を歩くと、人影のない狭い道を何度も折れ曲がったり、うっとうしいトンネルを通り抜けねばならず、二度と戻れぬ迷路にはいりこんだかのような無気味さに襲われる。要するに、ステイタス・シンボルとしてカナル・グランデ沿いに居を構えることにのみ関心があった商人貴族たちは、裏側のコミュニティのための都市計画的配慮を怠ったのである。初期にできていた教区教会堂や、それに隣接するカンポとの結びつきも、言うならば彼らにとってはどうでもよかったのだ。

ところで、ヴェネツィアほど家を探しにくい町はないであろう。道に沿って住居表示をおこなうヨーロッパの一般の町に見られる明快なシステムも、無数の短い道が複雑に配されたこのヴェネツィアには適用不能である。さりとて名案もないのか、この町全体を行政区として六分し、それぞれの全家屋に四桁の通し番号をつけ、広場とか地区の俗称を説明として付記する、という荒っぽい方式を採っている。とりわけ探しにくいのが、このカナル・グランデに面したビザンティン様式の商館である。図面を十分にらんでいても、カナル・グランデに突き当たってはじめて袋小路を一本まちがえたのに気づき、すごすごと同じ道を引き返す。そんな失敗を何回となく繰り返しながら、私は少しずつヴェネツィアの迷路に強くなっていった。

悪魔が住んだ伝説の「天使の家」

観光客でにぎわうサン・マルコ広場のざわめきを後にして、少し北東へ奥まったサン・ジョヴァンニ・ヌオヴォ島にやってくると、もう静かな住宅地である。そこに後期ビザンティン時代（一三世紀後半）の典型的な「L型」の建築類型を示す住宅が二つ並んで残っている。ゴシック、ルネサンスの改造を受けているために、外観からではうかがえないが、カッレをはさんだこの二つの住宅は、ほとんど瓜二つの構成をとっている。特に左側の「天使の家」と呼ばれる建物は、ビザンティンの装飾をよく保存している。この家には次のような奇妙な伝説がある。ここに家の主ランツォ家の召使として飼い慣らされた猿になりすまして、一匹の悪魔が住んでいた。ある日神父に正体を見抜かれたこの悪魔は、壁に穴をあけて外へ逃亡した。その後すぐ悪魔祓いのためにこの穴をふさいで天使と聖母マリアのレリーフを置いた、というのだ。この家の名もそこからきているわけだ。

いつものように、ヴェネツィアの古い住宅を調べている日本のアルキテットだと名乗って訪問することにした。イタリアでは建築家はアルキテットと呼ばれ、古来社会的地位が高いから、こう言っておけばまずまちがいなく丁重（ていちょう）に扱ってもらえるのだ。ブザーを押し、インターフォンで訪問の目的を告げると、電気仕掛けの扉が自動的に開いた。鍵文化のイタリアでは、どんな庶民住宅でも同じような自動開閉システムを備えている。これほど堅固に戸締りをしても盗難が絶えないというから理解に苦しむのだが……。

インターフォンを使わず、「キエ（どなたですか）？」と窓から顔を出し、人物を確認する場合も多い。あるとき、いつもの調子でブザーを押して見上げていたら、風呂上がりなのか、バスタオルを胸に当てた妖艶な婦人が三階の窓辺に応答に出たのには驚いた。同じイタリアの歴史的都市の調査でも、ポンペイなどの遺跡都市では起こりえない、生きた町ならではの面白さである。

この天使の家の玄関ホールを通り抜け、「L型」プランのコーナーにあたるコルテに出ると、二階と三階の壁に、上端が尖（とが）り下端が丸い、ビザンティン様式の連続アーチ窓を目にすることができた。ヨーロッパの建築史には明確な様式上の展開が見られるが、それをたどる簡単な指標はアーチの形である。ビザンティンやアラブの影響のもとに生まれ、ゴシック、ルネサンス、バロックと展開したヴェネツィアの建築についても、アーチによってほぼ年代を確定することができる。さまざまな時代の建築がひしめき合うヴェネツィアの古い地区を、アーチだけ観察して歩いても、なかなか楽しいものだ。

ヴェネツィアの華麗な文化を支えた貴族階級の中にも、近代になって、生活基盤を失い、没落した家族が多い。まわりの人にいまだ公爵とか伯爵とか呼ばれながらも、先祖伝来の芸術品や家具を切り売りしたり、住宅を分割・賃貸して、なんとか体面を保っている人々の話もよく耳にす

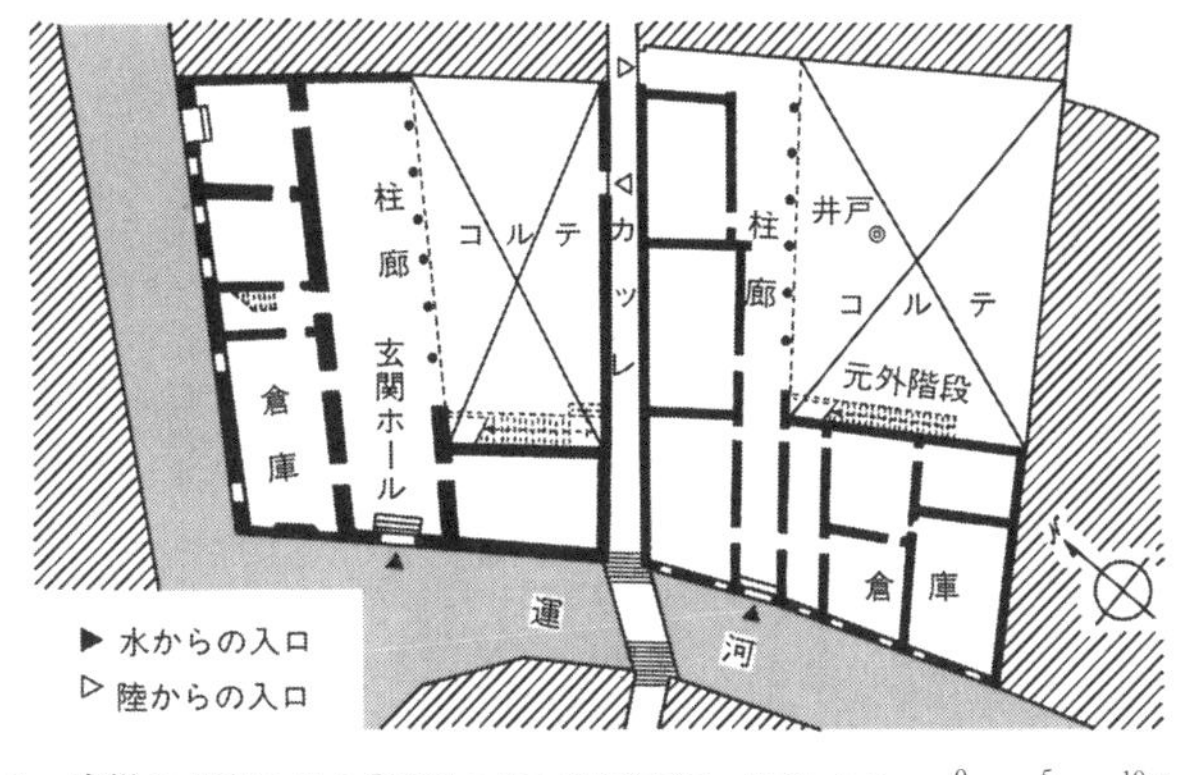

サン・マルコ広場の北東にある「天使の家」1階平面図。後期ビザンティン時代の典型的な「L型」プランの住宅が2棟、狭い道をはさんで建っている。「よじれた橋」は後の時代にかけられたもの

アーチ窓の変遷　上：左からビザンティン様式前期、後期、ゴシック様式前期
下：左からゴシック様式中期、後期、ルネサンス様式前期
「水の都」ヴェネツィアの建築は中世の早い段階から開放的につくられただけに、連続アーチによる窓の装飾も華麗な美しさを見せる

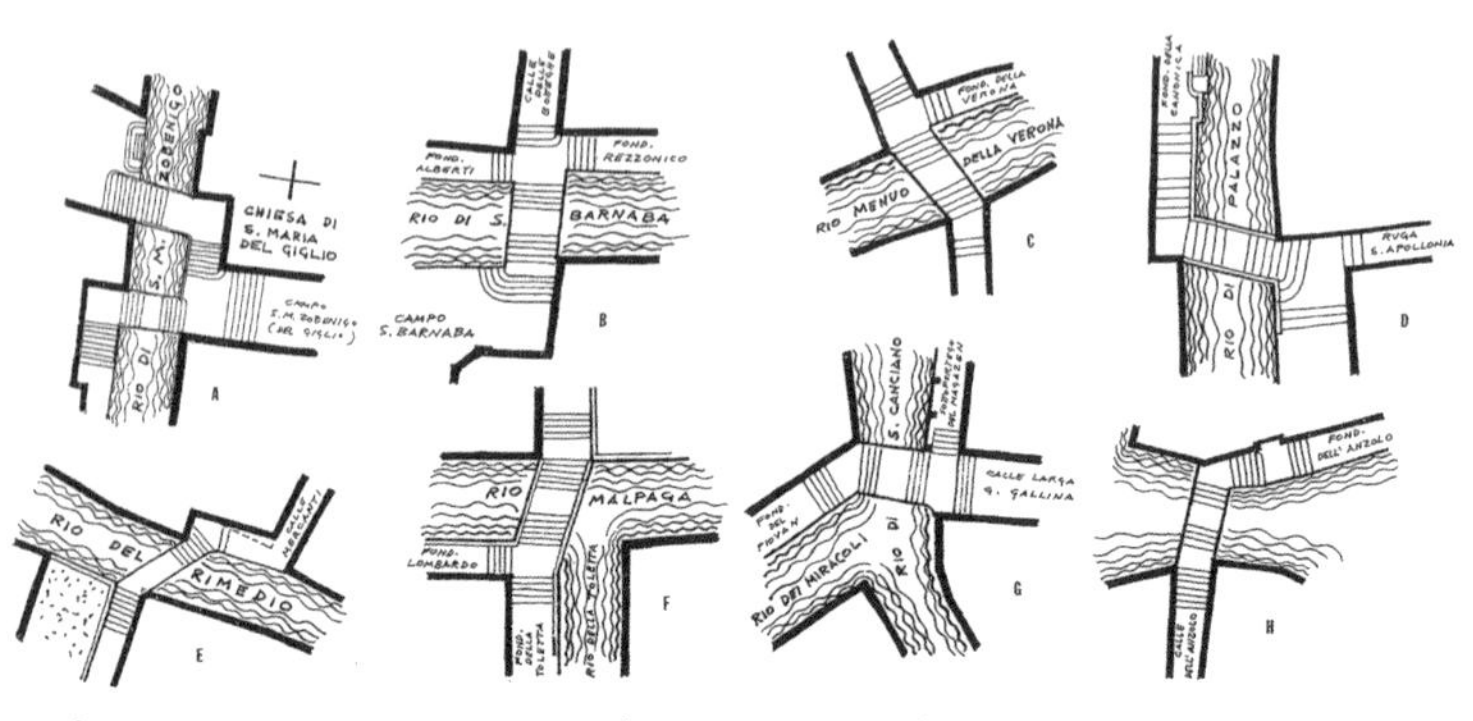

ポンテ・ストルトのバリエーション(A.Salvadoriによる)

る。この右隣の建物も、今では数家族用に分割され集合住宅として使われており、開けっぱなしのトンネルによって、コルテへの出入りは自由に任されている。

この二棟に代表される「L型」プランの後期ビザンティン時代の住宅は、依然、島の周縁部にのみ立地し、地区としてのまとまりにはなんら関心を示さなかったが、都市化という社会的要請に対応する姿勢を建築的にすでに表現し始めていた。すなわち、それまで「ブロック型」のビザンティン様式の建物の裏側に置かれ不確定要素となっていたコルテを建物のコーナーに組み入れ、簡潔な敷地利用を実現したのである。大貴族が自分に仕える数家族をコルテ周辺に抱え込むそれまでの社会関係も、すでに成立基盤を失い、庶民は独立した長屋風の小住宅に住むようになった。

一方、都市内の公共道路が広範に形成され始めたのもこの時期である。なかでも公道上に通行を妨害するための障害物を置くことを禁じた一二九四年の布告は興味深い。公道が登場し始めた頃には、その建設をめぐる公私の利害の調整がなかなかつかなかったようである。

こうして一三世紀末には、主要な道路システムができあがっていったと考えられる。もともと個々ばらばらに形成されていた島相互の間にも、都市の統合を目的として、多少強引にでもよじれた橋がかけられた。それらを町の人々は「ポンテ・ストルト（よじれた橋）」と親しみをこめて呼んでいる。ヴェネツィアでは、町角のどんな場所にも、生い立ちと結びついた意味がこめられている。この町のどこを押しても、過去の記憶がそこから飛び出してきそうだ。

見ごたえのある一四世紀ゴシック住宅

ヴェネツィアの都市形成史上、最も見ごたえのあるのは、ゴシック時代である。この時代に入ると、ヴェネツィアの町は、人口の増大と広範な中産階級の形成によって、それまでの運河に大きく依存した単純な都市構造ではすまされなくなった。こうして、利用可能なすべての沼沢地での干拓、建設をおし進め、稠密（ちゅうみつ）な都市空間を築き上げた。同時に、その中で展開される新たな都市生活の様式を生み出していった。それは、私的生活の充足と公共生活の確立という二つの命題にたいし、バランスのとれた解答を与えるものでなければならなかった。すなわち、部分としての住宅と全体としての都市の公共空間を有機的に結びつける必要があった。地理的条件によって異なるシステムを見せるにしても、中世のどの自治都市も、一様にこのような高密度な環境形成を成し遂げた。

ヴェネツィアの場合、各島がそれぞれ求心的な構造をもつことになった。中心に、教会のあるカンポと呼ばれる広場があり、そこから周辺へ水際まで伸びる道路網によって島のすみずみまで組織された。住民の生活も、このカンポを中心に地区としての積極的なまとまりをもち始めた。そしてこれらの地区＝教区は、カンポに出て何人かで噂話をすれば、ほとんどの人間についての情報をも集められる程度の、コミュニティとして手ごろな大きさのものであった。

このような都市構造の形成は、もちろん新たな建築類型の住宅の開発と一体となって進められた。まずゴシック時代前期（一四世紀）に登場した住宅は、後期ビザンティンのコーナーのコルテを縮小し、さらに簡潔となった「L型」プランをとった。こうして敷地と建物の一体化が進み、都市建築として洗練されるばかりか、ヴェネツィアの伝統である三列構成を再び取り戻すことができた。断面図を見ても、一階、中二階、主階（二階）、屋根裏部屋より成る住宅の垂直方向の組織化と、建築の内部に組み込まれたヴェネツィア特有のコルテのあり方が、すでに確立しているのがわかる。

これらの住宅は、サン・カンチアーノ地区の例が示すように、背中合わせに一対として建てられることが多かった。その場合、島内部の側のものは、当然水からの入口をもてないことになる。こうして、運河に面し、水―陸の二極性をもつというヴェネツィア住宅の従来の原則は、徐々に崩れていくことになった。運河側にも道路側にも同格のパラッツォが建設されたことは、ヴェネツィアの都市形成にとって画期的であった。

このサン・カンチアーノ地区に見られるようにそれまでの運河側のみならず、広場や主要道路などの陸の公共空間の側にも、アーチ窓で美しく飾り立てられた連続ファサードが並ぶようになったのである。こうしてヴェネツィアの町並みに、二つの顔が誕生した。数多くの島が複雑に集合してできたこの町の中を、広場や道をたどりながら歩いて動くのも、心地のよいものとなった。そしてこれ以降、ヴェネツィアの歴史においては、運河にとって代わって、道のもつ価値が徐々に大きくなっていく。

ヴェネツィア独特の細部の道路網も、簡潔な住居群の建設と同時に計画的に決定された。カンポへ直接流れ込むサリッザーダと呼ばれる主要道路が比較的広く繁華なのにたいし、それから分岐して奥へはいりこみ水際へ至る内部のカッレは、ぎりぎり最小の幅に切りつめられ、光もほとんど射し込まない。そこには島上の限られた土地を高度に利用せざるをえないこの町の事情が如実に表われている。中には道幅一メートルに満たないものもあり、雨の日には、傘をもった人同士のすれ違いも、立ち止まって譲り合わねばならないほどである。

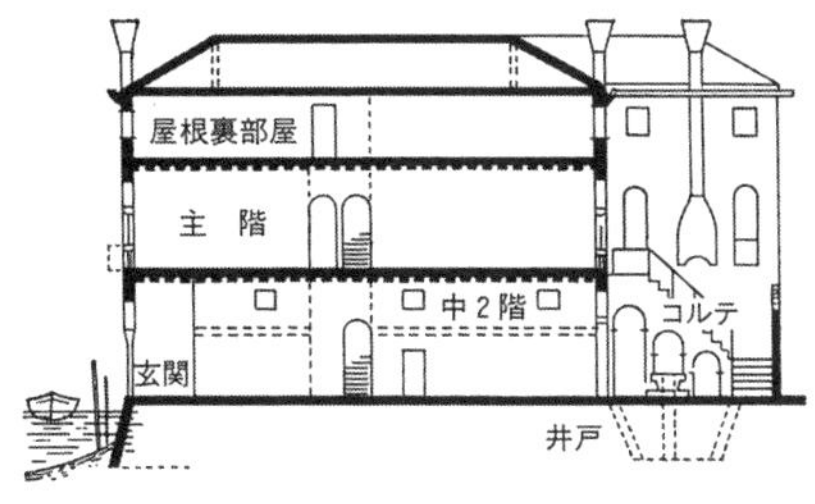

ゴシック前期(14世紀)の住宅断面図。水の側の玄関から入り、1階のホールを抜け、背後のコルテ(中庭)にとられた外階段で2階の主階にアプローチする

14世紀ゴシック前期のサン・カンチアーノ地区2階平面図。高密に開発されたこの地区では、運河とメインストリートにはさまれた土地に、ゴシック時代前期の「L型」プランのパラッツォ(貴族住宅)が背中合わせに一対で建っている

すさまじいほどに密度高く建てこんだ中世の庶民地区では、窓を開ければすぐそこに対面の窓が迫る。前に述べたヴェネツィアの二つの顔——運河側と広場や主要道路側——は、ある意味で上流階級の化粧をした表向きの顔である。そして本当のヴェネツィアの素顔は、この路地裏に面した庶民の住む狭くてうっとうしい家並みにあるというべきかも知れない。それだからこそまた逆に、開放的な広場での生活が彼らにとって欠かせないものとなるのだ。

「L型」プランをとるゴシック時代前期のパラッツォは、立地条件に応じた巧妙な建築的解決を見せた。橋を越え、サン・マテル・ドミニ地区のカンポに入ってすぐ目に飛び込む正面の瀟洒（しょうしゃ）な建物もその一つである。二階の五連アーチ窓の下にある家紋が示すように、これはヴィアリオ家の住宅であった。しかし、家紋の隣に見られるヴェネツィア共和国のシンボル、翼のあるライオンのレリーフは、この一族が謀叛（むほん）に参加したため家が没収されたことを伝えている。このパラッツォは、前例のように二つの住宅を背中合わせに配列するには狭すぎる中途半端な敷地に斬新な設計方法によって二家族が住むことを実現し、都市化の要請に首尾よく応えている。それは、広場側と運河側のそれぞれのコーナーにコルテを置き、前者からは一方の家族が外階段で二階へ、後者からは他方の家族が別の外階段で三階へアプローチし、一家族で一フロアー全体を使用するというものである。おそらく血縁関係にある二家族が住んでいたのであろう。こうすれば二家族が共同で住むものの、プライバシーが完全に保障されるため、あたかも自分の家族で一棟全体を占有しているような感覚で住める。誇り高きヴェネツィア貴族の自尊心を損なわずにすむというわけだ。このようにゴシック時代には、都市の稠密化の中で貴族階級でさえも住まい方の変化を

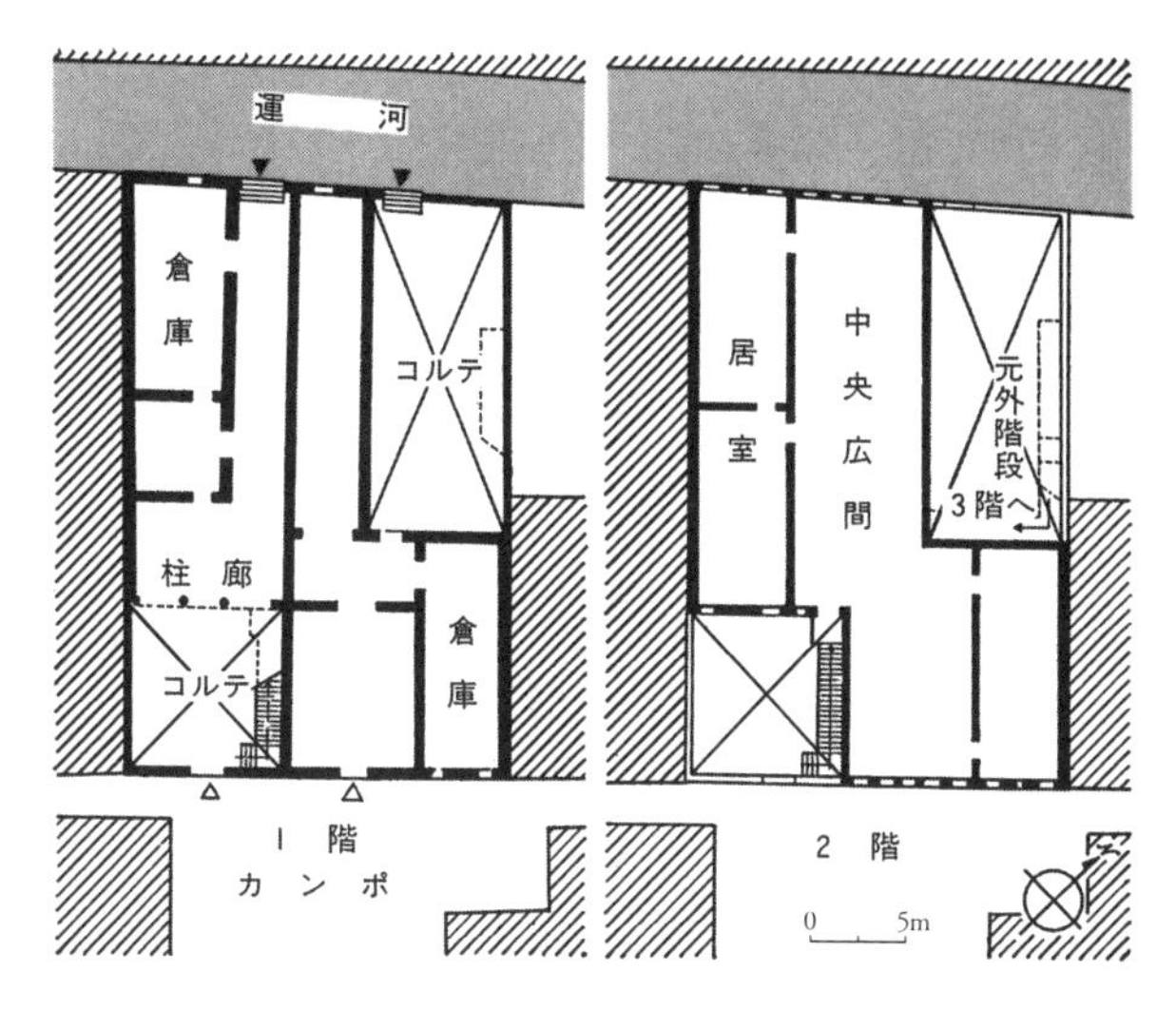

14世紀ゴシック前期の貴族住宅ヴィアリオ家平面図。サン・マテル・ドミニ広場正面奥の目を引くゴシック時代前期の住宅は、外階段のあるコルテ(中庭)を2つもつ2家族用のパラッツォ(貴族住宅)としてつくられた

サン・マテル・ドミニ地区の広場に面する14世紀ゴシック住宅。
2家族がプライバシーを保ちつつ上下に重なって住める

余儀なくされた。そしてこのヴィアリオ家に見られる二家族用パラッツォのタイプは、都市化がいっそう進むゴシック時代後期に広く普及することになる。

このサン・マテルル・ドミニのカンポに生彩を与えるもう一つの要素は、さりげなく飾られた四連アーチ窓をもつビザンティン様式の小住宅である。もともとこれは、エラクレアからマラモッコを経て、九世紀にヴェネツィアへやってきたザーネ家の住まいであった。その天井の低い手狭な三階には、今は私の親しいペルシア人モホセン君が下宿している。数多くの貴族住宅とともに、この建物も国指定の文化財の仲間入りをしているが、そんなことにまったく無頓着な若い学生は、破廉恥(はれんち)なポスターをべたべた貼って自分の寝ぐらにしているのである。文化財にぎっしりと囲まれたイタリアならではの話であろう。

この近くにはまた、大学助手のジュゼッペ君と学生のアンジェラ嬢が同棲しているなかなかいいアパートがある。中世建築の内部を修復・改造して白と黒のインテリアで統一した明るい部屋である。モダンな自分の城を一歩出ると、そこはもう歴史的香りに包まれた古い町……。そんな住み方がイタリアの若い世代でも受けつつあるようだ。

ヴェネツィア住宅の最高傑作

一五世紀にあたるゴシック時代後期には、高密度都市を構成する住宅として、理想的な「C型」プランの建築類型が完成した。コルテを完全に建築の内に統合し、敷地との一体化を実現したのである。同時にビザンティン建築がもっていた統一性を復活させることもできた。

ゴシック時代こそ、ヴェネツィアの都市形成史上の黄金期である。建設活動の熱気は町中にみなぎり、建築様式の完成に依拠しながら、都市の基本構造が決定されていった。材質感を感じさせぬほどに軽やかで繊細(せんさい)に昇華された装飾的窓をもつゴシック様式のパラッツォは、小運河や広場に面して町中に分布し、ヴェネツィアの町の雰囲気をつくり出す上で最大の建築要素となっている。

こうして数世紀の経験の中で定式化した「C型」プランのパラッツォの構成は次のようである。一階には、水と陸とを結ぶ玄関ホールが運河に直角に中央軸として貫かれ、その両側面に連続して倉庫が並ぶ。ピアノ・ノービレと呼ばれ主階にあたる二階へは、コルテの豪壮な外階段でアプローチする。落ち着きある簡潔なこの中庭空間は、ヴェネツィア貴族が獲得した都市住宅がもちうる最高の生活環境を表現している。それは建てこんできた都市内でも十分な快適さを保障するための一種の装置である。一階の柱廊、魚の鱗状に入念に敷かれた煉瓦舗装、彫刻の施された井戸によって構成される静的な中庭空間を、手すりに人頭の彫刻を並べもつ外階段が折り返しながら豪壮に上昇し、劇的な空間効果を創っている。このようにゴシック時代後期には、商館としての機能を優先するビザンティン時代の考え方はもは

外階段のあるコルテ(中庭)。中東イスラーム世界とも似た美しい中庭には、柱筋がめぐり、井戸(貯水槽)と外階段が設けられている

やなく、むしろ住まいとしてすぐれたパラッツォの建設が追求されたのである。

二階も一階と同様の運河に直角な三列構成をとり、中央に大広間が貫かれ、その両側面にプライベートな居室、寝室、食堂等が配列される。この中央広間は、当時の貴族生活にみあったこの町独自のものである。商取引の重要な打ち合わせに、あるいは着飾った男女の華やかな社交の場にも使われた。また、内部の機能はそのままファサードにも表現され、中央広間が水に向かう所いっぱいに大きな連続アーチ窓が並び、その左右の部屋には隔たった二つの窓が配され、三分割構成となる。そして、その三分割構成のファサード群は、ヴェネツィアの町並みに快いリズムをつくりだすことになる。

ヴェネツィア住宅の最高傑作として私が迷わず推すのは、一五世紀ゴシック建築のパラッツォ・ヴァン・アクセルである。それは交差する運河の鈍角の角地というやっかいな場所に立ち現われた。だがこの複雑な立地条件に素直に順応しながら、それまでに蓄積されたプランニング技術のすべてを駆使して、みごとな二家族用の貴族住宅を創り上げた。

一階はほぼ中央の壁で二分され、それぞれ外階段のあるコルテをもっている。大きい方のコルテへは絵画的な景観を見せるフォンダメンタと呼ばれる運河沿いの道からアプローチし、豪壮な外階段で三階へ上る。一方、小さい方のコルテへは島内部のカッレからアプローチし、外階段で二階へ上る。一家族がフロアー全体を占有するが、「変形C型」と呼べるそのプランは、実に巧妙である。鈍角に交わる二つの運河のそれぞれに対して伝統的な三列構成をとり、まったく同格の二つのファサードを水に向けることに成功しているのである。二家族とも水からの専用玄関を

◀15世紀ゴシックの貴族住宅パラッツォ・ヴァン・アクセル。変則的な敷地に巧みなプランニングでつくられた2家族用のこのパラッツォ(貴族住宅)は、水辺にピクチャレスクな美しさを見せる

パラッツォ・ヴァン・アクセルの中庭。外階段と貯水槽のある柱廊で囲われた空間

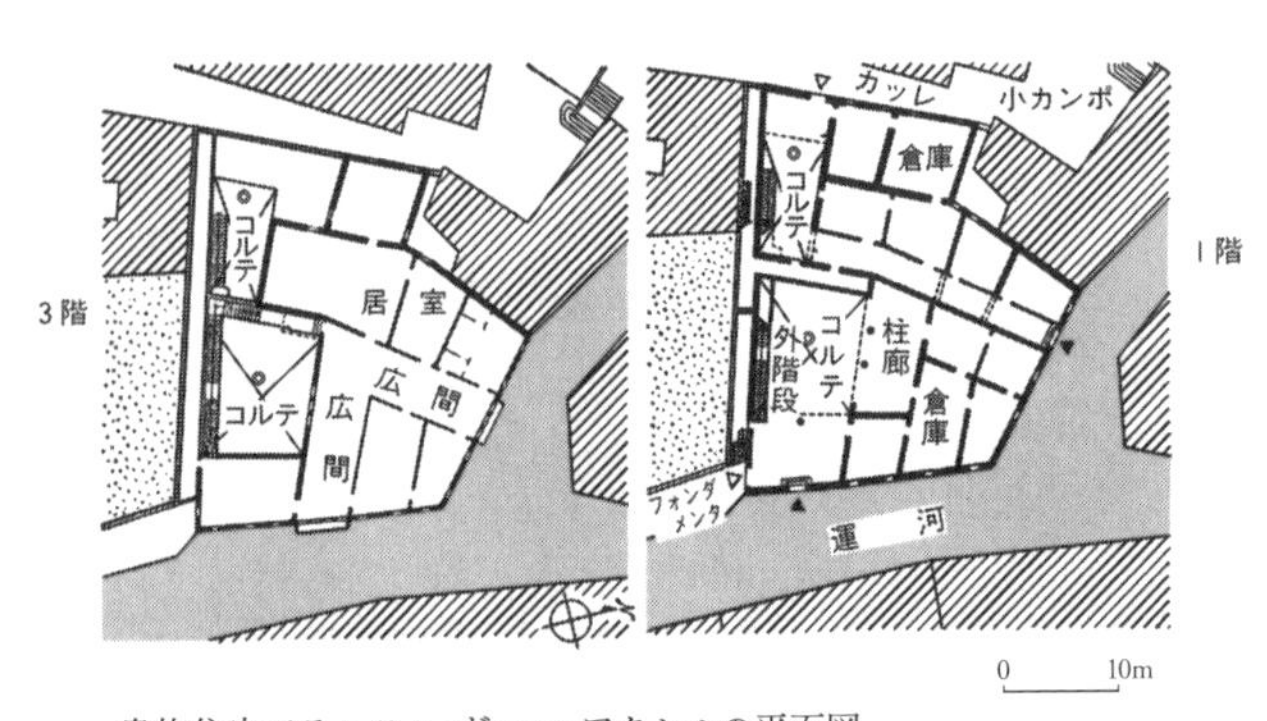

貴族住宅パラッツォ・ヴァン・アクセルの平面図。上下に重なって住む2家族とも、水からと陸からの独立した入口をもち、専用のコルテから外階段で各々の主階にアプローチする

もっているのは、言うまでもない。都市環境にたいしてこれほど柔軟な姿勢を見せる建築が他にあろうか。まさにヴェネツィア建築の神髄というべきものである。

このヴァン・アクセルのパラッツォをはじめ、古い地区の運河側の建物は、そのほとんどが水から立ち上がっているため、ファサードの写真を思いどおりの角度から撮るのは極めて難しい。運河をはさんだ隣の島に目標物の正面近くへ出てくるカッレがあれば話は楽だが、必ずしもそうはいかない。うまく正面へ出る道を地図で見つけたとしても、水際の目的地へ一遍で間違えずに抜け出るのは、これまた容易ではない。また内部の狭い運河の場合、あまりに真正面に接近しすぎたのでは、いくら広角レンズに換えてみても、ファサード全体をファインダーに収めることができないのだから厄介である。

結局ある日私は、ムラーノ島に住む友人のマリオ君に再び頼んで、今度はプラスチックの箱に簡単な船外機を付けただけの小さな自家用モーターボートに乗せてもらい、一日かけて運河側から自由に写真を撮りまくった。ゴンドラの並ぶ駅前の岸辺で舫(もや)い綱を放ったわれわれは、両岸に華やかな建築の建ち並ぶカナル・グランデをまず逆S字状にサン・マルコ広場の東岸まで進み、次に内部の狭い曲がりくねった運河へはいりこんだ。

日頃見慣れたこの町も、水面の低い視点から眺めると、また別の趣きがある。ヴェネツィアの町はもともと水からの眺望を強く意識してできており、各様式の粋(すい)を競う水からの玄関回りやバルコニーのデザインにも、その計算が見られた。こうして町を一巡してみて、水とともに生きる建築や広場のあり方がよくわかった。

だが、水上交通がやや廃れ汚染も進んだ内部の運河は、今では朽ちゆくヴェネツィアの憂愁に包まれている。左右には、高潮によって水を吸い込んだ煉瓦が、漆喰の剝げ落ちた壁面に重そうに変色した姿を見せる。しかも、その家の中には、人々の何世紀にもわたる生活が今なお持続しているのだ。そんな現実を前にして、私の心は暗鬱で塗りつぶされていくのであった。だが同時に、この町の保存問題の重要性を認識するきっかけをそこからつかむことができた。

七世紀もかかったサン・ポーロ広場

ヴェネツィアの都市を構成する建築単位の理想型として生まれた「C型」プランの住宅は、あらゆる立地条件にも柔軟に適応し、町中至る所に現われたが、なんといっても、カンポ（生活広場）を本格的な広場にしていく上で、最大の貢献を成した。特にサン・ポーロ、サンタ・マリア・フォルモーザ、サンタンジェロなど代表的なカンポは、いずれもこの類型のゴシック建築によって、みごとに囲いこまれているのだ。この建築類型の普及とともに、ヴェネツィアの広場はどれも完成された形態をとったとみてよい。

ここで、サン・ポーロのカンポを観察しながら、ヴェネツィア人が何世紀もかけて広場を形成していった様子を解明してみよう。

まずこの地区の周辺まで目をやると、カナル・グランデから枝分かれして内部を縫う小運河に沿って、同じような構成をとる四つの島が並んでいるのがわかる。島の中心にカンポをもち、その重要な一角には教区教会堂がある。そして奇妙なことに、これらの教会はいずれも、地区の中心のカンポにたいして尻を向けているのである。これは次のように説明できよう。中世初期には、水上交通が支配的であり、水際が重要だったのに比べ、カンポはまだ形を成していなかった。そのためどの島でも、コミュニティ形成の核としての教会の正面は運河側を向くことになった。こうして一度決まった教会の方向性は、変わることがなかった。その後、むしろカンポ側がコミュニティの中心となり、裏と表が逆転したため、われわれは今日教会を裏側から眺める、という奇妙な結果になったのである。水の都ヴェネツィアといえども、運河の役割は時代とともに少しずつ減少してきたのである。

サン・ポーロ地区の場合、現存する最古の建物はゴシック前期のものであり、それ以前に関しては、例のごとく都市組織の構成上の特徴から読み取っていく必要がある。まず、教会が建設された九世紀には、その北側の運河に沿う帯状の土地に、プリミティブな木造の住居群があったと考えられる。次いで、ビザンティン時代には、カナル・グランデと内部の運河に沿ってある程度の建設がおこなわれたであろう。

そして、この広場を中心とした地区構成を決定する大建設事業が展開したのは、次のゴシック時代である。まずその前期に、北側の沼沢地（しょうたくち）を干拓して、背中合わせに二つずつ並ぶ形式のパラッツォが六棟建設された。しかし、カンポ側では、「L型」の建築類型をとるどのパラッツォも、コーナーにコルテをもつため、ファサードが三分割構成をとれず、一体感に欠けていたし、各棟の間に運河からカンポに流れ込むサービス用のカッレがとられたため、広場を囲む壁面の持続性が断ち切られていた。これらの点から察すると、この時期には、ヴェネツィア人の広場にたいする考え方はまだ成熟には達していなかったようである。というのも、ヨーロッパの優れた広場の条件は、空地を連続的な壁面で囲い込み、集中感を創り出すことにあるからである。

だが次のゴシック後期に入ると、やはりそれまで沼沢地であった東側に、帯状の連続的な住宅群ができ、四方を囲われた集中感のあるこの広場の形態がようやく完成する。最初の教会が建設されてから、実に七世紀という長い年月を費やしたわけである。この一五世紀の完成された「C型」の建築類型をとるゴシックの住宅群は、都市的住まい方の妙を遺憾なく発揮している。これらの中規模のパラッツォ内部には、二家族で使用するために、三列構成の両サイドにそれぞれコンパクトなコルテが置かれ、しかも隣同士のコルテを抱き合わす工夫によって、通風・採光上も十分な効果を獲得しているのである。

こうしてできた東側の連続壁面は、ゆるやかに弧を描き、視覚的に面白い効果を生み出している。私は日本からの友人を案内するごとに、「どうしてこんな形の広場が生まれたと思うか」と、意地悪く質問することにしていた。たいていの人は、「円形劇場として作られたんだろう」といった、建築家の設計意図を見ようとしがちだった。しかし実際には、この建物群の前に通っていた運河が、水の価値が失われた一八世紀に埋め立てられ、その結果、自然の流れのままに素直にカーブした壁面がそのまま残った、という次第である。一般に古い町では、形態が建築家の頭の中で勝手気ままに造り上げられることはまずなかった。その土地の条件を生かしながら町づくりをおこなうことが原則であった。それが技術的水準に見合う経済的・合理的方法であるばかりか、造形的効果を生み、独特の景観を創り出すことにもつながっていたのである。

◀ヴェネツィア最大のカンポの一つ、サン・ポーロ広場の東側の連続壁面。連続した壁面で囲われることによって、集中感をもつ象徴的なカンポ(生活広場)の形態が生まれている

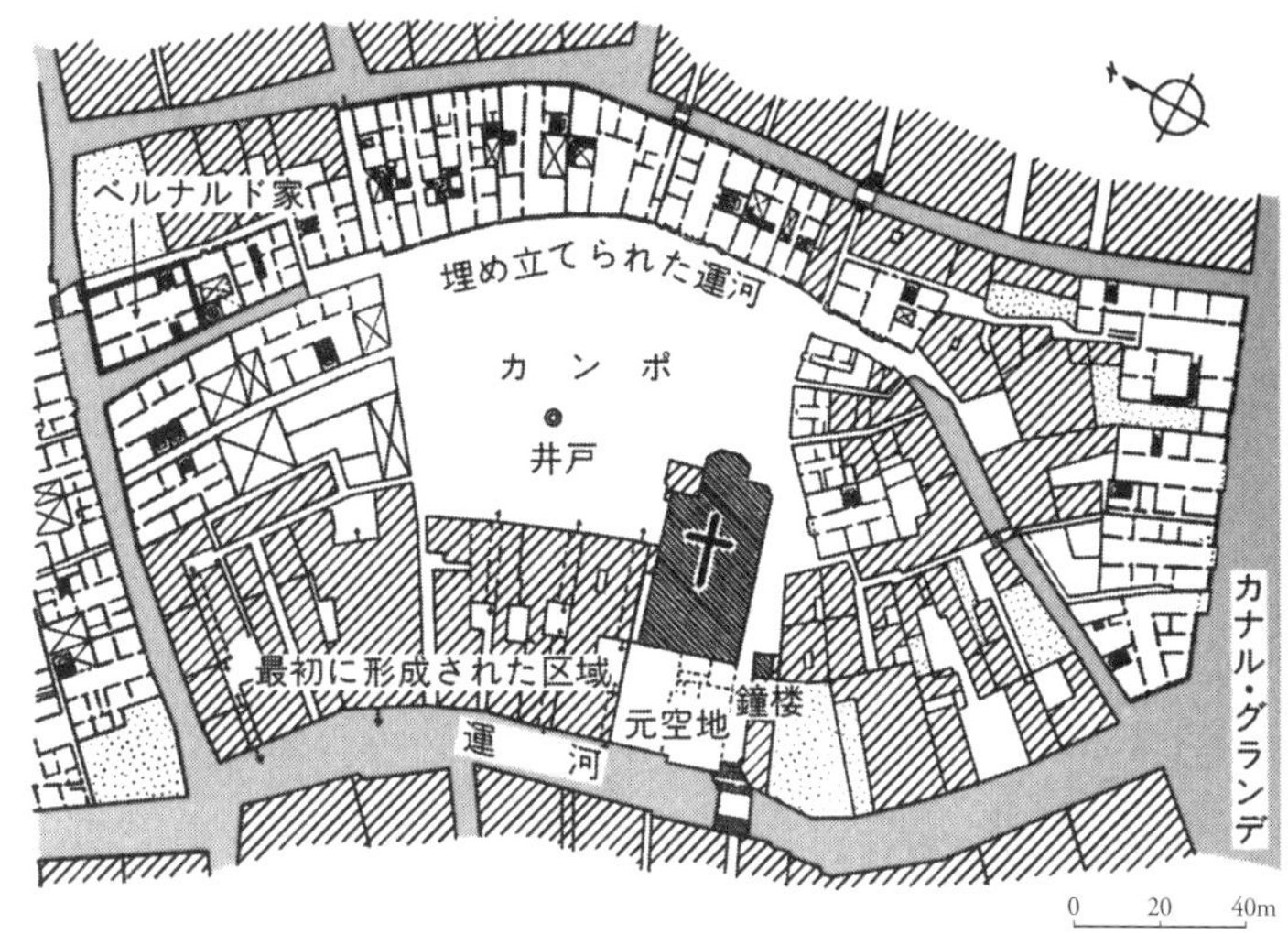

サン・ポーロ広場の2階平面図。ヴェネツィア最大のカンポの一つであるこの生活広場は、歴史的には祭礼や見世物、露店市に使われ、今も野外映画やカフェテラスなど、多目的に利用されている

ところで、「ヴェネツィア人の気質はどうですか」という質問を受けることがよくある。そんな時私は、「島という閉じられた特殊な環境の中で生まれた相互扶助のせいか、庶民の間には人づき合いのいい親切な連中が多い。だけど、もともと狡猾（こうかつ）なヴェネツィア商人の血を引いている上流階級の連中は、個人主義的で他人にたいしては冷ややかだ」と答えることにしている。この地区の代表的貴族住宅、パラッツォ・ベルナルドを訪問しようと試みた際にも、そのことを痛感させられた。主階に当たる二階にはまだこの一族の末裔（まつえい）が住んでいるようであったが、内部を見せてもらいたいという私の願いは、けんもほろろにはねつけられてしまった。その時、橋の上でしょげていた私を見て、快く迎え入れてくれたのは、その屋根裏部屋のアパートを借りて住む気さくな家族だった。

屋根の傾斜がそのまま天井となっているこの部屋は、幸い天窓によって、日本の物干し台にそっくりの屋上のベランダへ通じていた。「ここはヴェネツィアで一番眺めのいい家ですよ」というおばさんの自慢もうなずけるほどに、この水際のぎっしり詰まった家並みを見渡すことができた。ワインをごちそうになったのち、彼女がひっぱり出してきてくれた古めかしい双眼鏡で、私はヴェネツィアの高みの見物としゃれこんだ。赤茶色の屋根群の上に頭を出す教会堂や鐘楼を、彼女と一つ一つ名前を当て合いながら観察していった。すぐ近くへ目を移すと、そこには密集して連なる建築群の間にすっぽりと抜けたサン・ポーロ広場の様子が手に取るようにわかった。

なぜヨーロッパで広場が生まれたか

このようにして形成されたカンポには、コミュニティを営む上で必要なありとあらゆる生活模様が見られた。それは狭い島の上に築かれた運命共同体の縮図とも言うべき場所であった。

その一角には、住民の宗教生活の中心である教区教会堂が建ち、しばしば宗教的行事の舞台として使われた。また、一九世紀の初めに、北の海に浮かぶ小さなサン・ミケーレ島に町全体の共同墓地が置かれるまでは、死者の遺体は各々が属する教区教会堂に葬られていたが、金持ちが教会堂内部の壁際か床下に丁重に納められたのに対し、一般庶民は教会堂周辺の空地に埋葬されていたという。santo（聖人）、morti（死者）、cimitero（墓地）などの、墓に関した名をもつカンポが、今でも町の何ヵ所かに見いだせる。

また、カンポは日常生活の中心でもあった。本来は、少なくともその一辺は運河に面し、重要な荷揚げ場としても使われたし、定期的に市の立つところもあった。現在でも、サンタ・マルゲリータ、サンタ・マリア・フォルモーザのカンポには連日活発な市が立ち、庶民の台所を支えている。生鮮食料品の場合特に、普通の店舗よりも、広場に早朝組み立てられ夕方きれいに片づけられる露店市の店の方に主婦が群がる。

カンポにはまた、住民に水を供給する井戸が備えられた。正確にいえば、良質の地下水をもたないこの町が考案した独自の貯水槽である。一般に、大土木工事によって遠方より水道を引いてきたローマ都市の場合と異なり、中世都市、とりわけ特異な地理条件のもとに生まれた都市では、水の確保には苦労した。豊富に生産されるブドウ酒より飲料水の方が高価につくことも稀（まれ）ではなかったのである。

ヴェネツィア人は、グラード、リド、ペッレストリーナなどの住民が海岸の砂浜に掘った小さな井戸の水を使っていたことから学び、同じ原理の人工的貯水槽を自分たちの町の島々に備えつけた。まず地面を掘り、穴の内側に水を透過させない粘土層をめぐらし、その器の中に大量の砂を詰めて濾過装置とする。雨水は地表に設けられた数個の穴から流れ込み、砂層を浸透して中央奥底へたまる。その水を石で造られた円筒部分を通して桶で汲み上げるのである。

天秤の両側に桶をさげて集まった女性たちの間では、にぎやかに井戸端会議がおこなわれたにちがいない。貴族のパラッツォにはそれぞれの中庭に同様の貯水槽があったから、広場の共同井戸は特に庶民の集まる場所であった。しかし、計算によれば、住民一人当たり一日二リットルの水の供給量しかなく、不足分は大陸から船で運んでこなければならなかった。

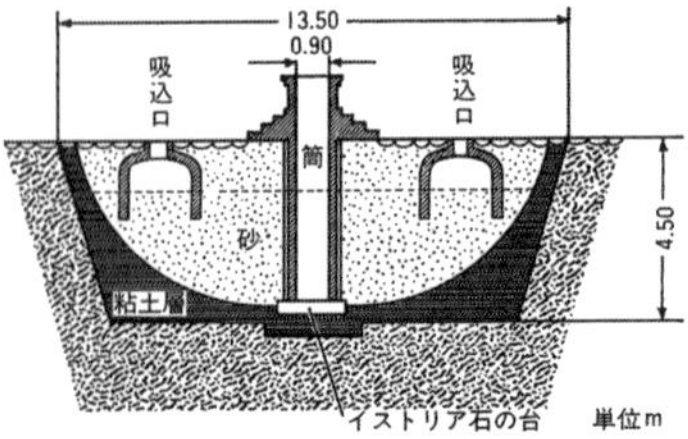

井戸の構造図。どの広場にも雨水を蓄える貯水槽が設けられ、ヴェネツィアの島々に暮らす人々の生活を支えた

一九世紀に大陸から水道が引かれ、もはや役割を失った井戸も、島の共同生活のモニュメントとしてほとんどそのまま残され、それぞれの時代の様式をもつオブジェであると同時に、広場に中心を与えている。

カンポは、多くの絵に描かれているように、祭り好きのヴェネツィア人がカーニバルや雄牛を追いまわす競技に熱狂する場でもあった。そして、現代にもその精神は生きている。ヴェネツィアのコミック劇の伝統を継承する若者のグループは、毎年七月になると、いくつかのカンポで趣向を凝らした屋外劇を演ずる。早くから席を陣取った子どもたちが最前列にしゃがみ込み、大人たちがその外側へ二重、三重の人垣をつくる。爆笑と拍手は、夏の夜の広場を取り巻く壁にいつまでも残響し続けるのだ。

政治集会、コンサート、前衛劇、共産党の統一祭りも、広場における現代の祭りである。広場を使い慣れた彼らの手にかかれば、その空間は変幻自在である。短時間で手早く、やぐらやステージを組み立て、屋台や椅子を並べる。そして、届出時間が切れる頃には、さっと片づけ、塵一つ残さないのだからみごとである。大規模な建設費のかかる公会堂も、この町では不必要なほどである。

だが、広場が祝祭的雰囲気をもつのは、なにも特定の祭りの時に限らない。特にわれわれ日本人から見れば、ヴェネツィアの広場で日常生起することすべてが、人々の演ずるドラマのように映る。広場のスペース、それを取り巻く居酒屋、安レストラン、市場でのジェスチャーたっぷりの人々のやりとり。もう名物となっている多少アル中気味な中年男の朗々たる歌声。バストとヒップのラインを強調してはつらつと歩く若い娘と、屋外のカフェのベンチからそれを眼で追う若者たち……。ある時には役者に、ある時には観客になりながら、広場でのドラマに誰もが参加するのだ。ギターや笛を持ち寄り、星空の下のサンタ・マルゲリータ広場で若者たちと歌い明かした夏の夜のあの解放感は、私のヴェネツィア体験の中でもとりわけ印象深いものである。

このようなヨーロッパの広場にたいして、われわれ日本人は一種の憧憬をもつが、そもそも都市の機能とその中での住まい方そのものが、ヨーロッパと日本とでは大きく違っていたことを見落としてはならない。自分の町家の中に坪庭や裏庭を取り込み、落ち着いた環境を各家族がもつ日本の古い町では、広場という都市の公共空間は不必要だった。それは、家を中心とした地縁社会を支えるにふさわしい住まい方だったともいえる。このような都市構造のため、わが国では住民の社会的活動が生まれる契機を見いだすのは難しかった。

一方、城壁で限定された領域の中にぎっしり住むヨーロッパの町では、貴族の邸宅を除けば各家々には庭らしきものをとらず、空地を公共スペースとしての広場に集中させるから、日光浴にも、夕涼みにも、市民は広場へ出ざるをえない。そこから必然的に人との出会いが生じ、個と個のぶつかり合いを通じて、会話の妙、共通のルール、他者を尊重する態度、あるいは政治的センスなどの集合的生活に必要なものが形成されることになった。広場には、ありとあらゆる世代の住民が集まってくるから、子どもにとっては社会教育の場でもあった。若いカップルの散歩を見て恋の仕方を自然のうちに身につけ、老人から町の歴史について教わりながら、人々の間で彼らは成長していくのである。

道中心に構成された商店街「天国の道」

ゴシック時代には、住宅地区で広場中心の構成が生まれる一方、商業地区では道中心の構成が確立した。商業機能が効率よく分布する高密度な都市空間の実現にとって、道に基づく地区構成がふさわしかったのである。

町の中心リアルトとサン・マルコの間にあるサン・リオ地区が、その特色をよく示している。島の中心には背骨にあたる主要道路サリッザーダが貫き、ビザンティン様式の二連アーチ窓をもつ味のある建物などがそこに登場する。この主要道路にたいして直角に運河との間に配されたカッレ群が、サブ・システムを構成している。その一つ、「天国の道」が有名であり、由緒ある商店街の風格を見せている。全体が一つの計画のもとに構成され、各商店は均一の間口をもち、二階の住宅への階段も一定間隔に収められている。イタリアの商店建築の場合、一階が貸店舗、二階以上が貸アパート。店主は普通その上へは住まず、よそから通って来ることが多い。この道に沿う二列の商店のそれぞれの背後に運河からサービス用の道が通っていることを見ても、この地区が高度な計画のもとに形成されたことがわかる。

レストラン、食料品屋、本屋などがにぎやかに並ぶこの道の両端には、ゴシックの装飾的アーチがかけられている。特に運河側では、ビザンティンの上品な小住宅とその隣の小住宅との間にかかる聖母マリアの浮き彫りをもつアーチが、われわれを迎え入れてくれる。その聖母マリアの羽織るマントの下に優しく包み込まれている二つの家族は、一五世紀初めに教会からこれらの小住宅を譲り受けたフォスカリ家とモチェニーゴ家を表わしている。イタリアでは聖母崇拝（すうはい）が盛んである。街角のあちこちに見かける浮き彫りや彫刻の聖母マリ

ビザンティン様式の2連アーチ窓をもつ建物。
サリッザーダ・サン・リオ沿い（E.R.Trincanatoによる）

ア像は、元来甘ったれのイタリア人にとっての優しい女性への憧れそのものを表わしているようにも見える。いい年をした大人が驚いた時にすぐ口にする「マンマ・ミーア（私のお母さん）」「マドンナ」などの言葉も、そのことと一脈通ずるのだろうか。

この「天国の道」のように、アーチやトンネルによって道の端を限定し、適当な大きさの空間に分節するやり方は、都市空間の構成に細やかな神経を使うヴェネツィア独特のものである。限

ヴェネツィア独特の商店街「天国の道」のアーチのある入口。橋を越え、聖母マリア像のある可愛いアーチをくぐって、商店街となっているこの小道に入る。アーチの建物はビザンティン様式の4連窓をもつ味のある小住宅

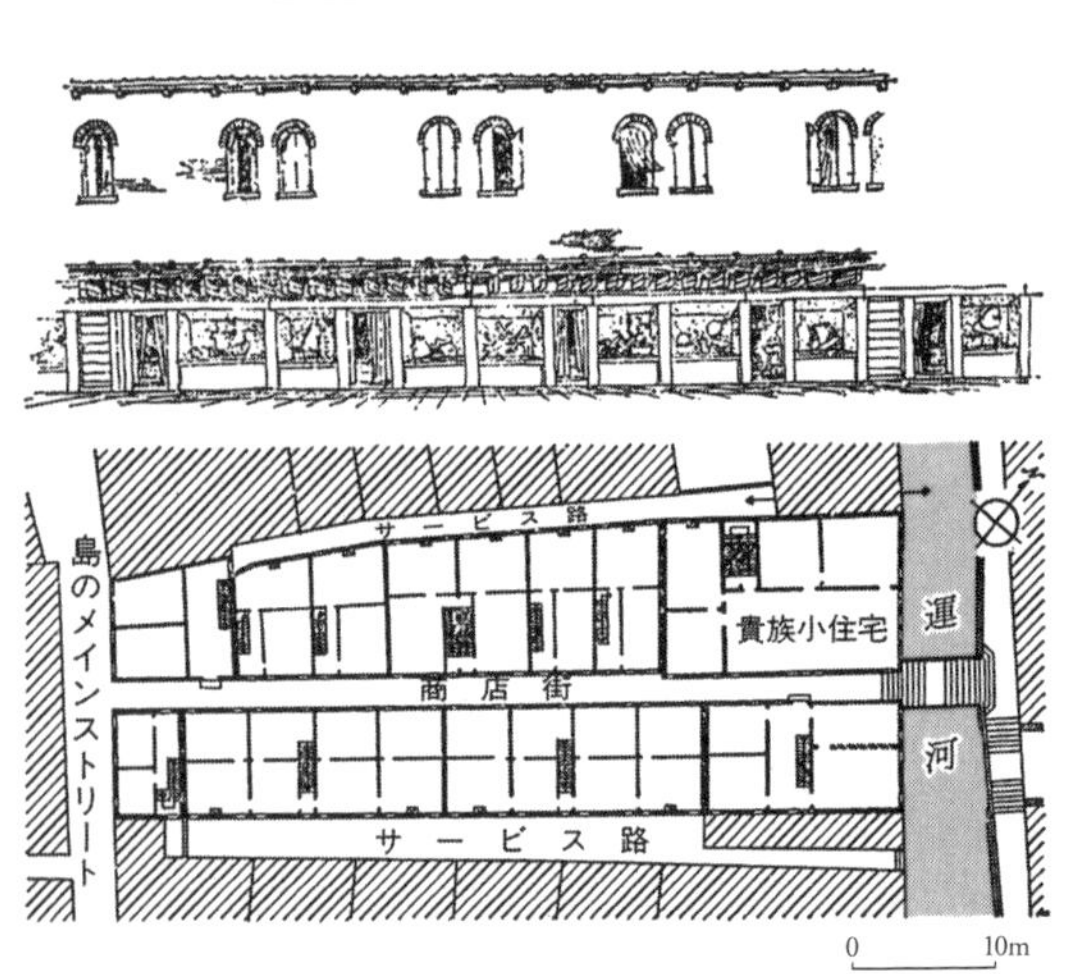

商店街「天国の道」の2階平面図と正面図。中世の早い段階で計画的につくられた商店街が今なお、洒落たレストランや格調の高い本屋が並ぶ界隈として健在である

定された外部空間は落ちついたまとまりのある雰囲気をもつことになるので、それを共有して取り囲む住人の間には一体感が生まれる。

道に限らず、この町の都市空間のすべてがほどよい大きさの空間単位に区切られ、それぞれに方言を用いて親しみのある名前がつけられている。つまり、どんな外部空間もその性格に応じて、カンポ（生活広場）、カンピエッロ（小カンポ）、コルテ（中庭）、サリッザーダ（背骨の道）、カッレ（路地）、ソットポルテゴ（トンネル）、フォンダメンタ（運河沿いの道）……といったカテゴリーのいずれかにはっきり分類されているのである。このような独特の秩序をもった都市環境の中に育つヴェネツィアの人々は、自分の住む町とは何であるか、個人の生活と社会全体の生活はどう結びつくのかを、ごく自然のうちに理解していくことができる。都市への愛着もこうして生まれるのだろう。都市空間がますます貧弱になりつつある日本の実情と比べて、何ともうらやましい限りである。

やや周辺部に現われた職人の生産活動をもつ庶民的住宅地区の場合にも、やはり道に基づく地区構成が見られる。サンタ・ソフィア地区の住居群がその典型例である。ここでは、もはや広場をとるぜいたくは許されず、息詰まるような狭い道路システムの中に高密な住居が組み入れられている。このように都市の中には、社会的階層に応じた住み分けが明確に見られ、享受できる都市生活の快適さにも著しい違いがある。ささやかな裏庭もとれないこのような地区では、どうしても表側の公共の道への依存度が高くなる。台所もファサード側へ出てしまうため、路地裏を昼時に調査で歩いていると、必ずスパゲッティやトマトソースのにおい攻めに会う。これも日本の古い町では考えられないことだ。日本では庶民住宅でも伝統的な形式のものであれば、わずかであるが裏庭を持ち、台所、便所など、サービス部分を背後に置くことを住まい方の作法としている。

だがこんなサンタ・ソフィア地区のようなところにも、限られた条件の中で、それなりに豊かな環境を形成しようとする意欲が読み取れる。かまどから立ち上がる煙突は、壁面から少し突き出ることにより、そのまま装飾要素として生かされているし、屋根の上につく煙出しは、さまざまなデザインを競い合っている。これらのバラエティに富む煙突ばかりを載せたスケッチ集が出版されているというのも、ヴェネツィアならではの話であろう。この町の庶民地区で目にする建物の間にロープをわたして、公道の上に洗濯物を干す光景も、実は裏側に私的スペースをもたない住宅プランによって説明されるのだ。

町並みの新旧を見分ける法

ヴェネツィア北西部に、カンナレージョという地区がある。canna（葦（あし））、regio（大きな）から成る名前自体が、そのままこの地区の昔の姿を想像させてくれる。実際、一四一〇年にこの地にやってきた年代記作家も、カンナレージョは葦のはえた沼沢地だ、と書き残している。

一五世紀前半から末にかけてまったく新たに作られたこの地区は、これまで見てきた古い部分とは完全に異なる都市の構成原理を示している。平行な三つの長い直線運河が計画的にめぐらされ、それに沿って帯状の島々の南側には、それぞれ方言でフォンダメンタと呼ばれる運河沿いの道が設けられているのである。

一般に、直線的運河は人工的色彩が強く、比較的新しいものである。旧街区の中心部へはいりこむほど、弧を描いた幅も均一でない運河が多い。フォンダメンタは、陸上の移動が重要となった時点で登場してきた新手法である。両側から建物で圧迫された島内部のカッレに比べ、運河に沿ったフォンダメンタは開放感があり、方向を見失うことも少ないため、道のシステムを重んずる新しい時代の町にとっては都合がよかったのだ。われわれは、ヴェネツィアを歩きながら、運河の形とフォンダメンタの分布によって、地区の新旧をほぼ正確に判定できる。

実際、土木技師のエウジェニオ・ミオッツィは、『歴史の中のヴェネツィア』(Eugenio Miozzi, *Venezia nei secoli*, Venezia, 1957) において、この原則に基づきながら初期形成時代のヴェネツィアの形態を仮説的に描き出している。

カンナレージョ地区では、このようなフォンダメンタを東西の軸とする計画的な地割に基づく、単純明快な住宅群の形成がおこなわれた。それぞれの宅地は短冊(たんざく)形をとり、南側の道に面して住宅が建ち並び、裏は空地として残された。湾曲した運河によって地割を規定されているヴェネツィアの住宅にとって、方位は普通ほとんど考慮の対象にならないが、ここでは、フォンダメンタに沿って建設された初期の住宅はすべて南面している。広場としてのカンポはこの地区には見られず、心地よい水際の遊歩道路としてのフォンダメンタがそれを代行している。

しかし、計画性の強い整備された居住環境の実現によって、都市空間をほどよいスケールの単位に分節しながら結びつけていくこの町の伝統的手法が否定され、均質な味気ない空間が生まれ

心地よい水辺のカンナレージョ地区。直線的な運河に沿ってフォンダメンタ（運河沿いの道）が設けられ、心地よい水辺空間を生んでいる。落ちついた雰囲気のこの地区は近年、人気を集め、若者が集まるスポットも誕生している

た。こうして明部と暗部が錯綜する、ヴェネツィアらしいドラマチックな空間は失われていくことになった。そもそも、このカンナレージョ地区が異なる構成を見せたのも、この地区が建設された一五世紀には、教区教会堂によって一元的に統合される、中世的なコミュニティのあり方が人々にとってやや重苦しいものになりつつあったからであろう。宗教によって支えられるコミュニティとしてのまとまりよりも、通行のシステム化、居住環境の向上が優先したのである。そして、ルネサンスの訪れを待たずしてこの脱中世的傾向が現われたことは、注目に値する。

ヴェネツィアの都市形成史を見る上で、西暦一五〇〇年を大きな区切りとしてよいだろう。中世のゴシック時代に終わりを告げるこの頃までに、都市空間の構成上の手法はすべて顔をそろえ、現在見るヴェネツィアの都市

構造がすでに完成していた。ちょうどこの年に描かれたヤコポ・デ・バルバリの鳥瞰図がそれをよく物語っている。そしてその後のヴェネツィアの都市形成の歩みは、基本的には、この完成された中世的骨格の上に、一層華麗なルネサンス・バロックの容貌をつけ加えていく過程として見ることができるのだ。

本土に進出する貴族たち

ヴェネツィアの地中海における商業活動の独占も、長く続いたわけではなかった。一四世紀中頃には、ジェノヴァが敵対者として登場し始め、ヴェネツィアは自己の商業上の勢力圏を防衛する立場を強いられた。さらに一五世紀には、宿敵ジェノヴァやピサに加えて、オスマン帝国の脅威に直面し、その行手に暗い影が射した。

こうした事情の中で、新たな活路を求めて、それまでむしろ背を向けていたイタリアの本土へ軍事行動をもって進出する道がとられた。海上交易に頼っていたヴェネツィア貴族たちも、こぞってヴェネト地方の田園の中に別荘(ヴィッラ)を建設し、農業経営に乗り出したのである。その様子は、ヴェネツィアのラグーナから遊覧船でブレンタ川をさかのぼるとよくわかる。両側の緑豊かな木立の中に、数多くのルネサンス、バロックの別荘が、今なお優美な姿を見せている。

その後一五世紀の末に、世界経済の中心的位置を占めてきたヴェネツィアにとって、あまりに衝撃的な事件が起こった。ポルトガル人がアフリカ周航の後に東方の香料の市場に到着し、積み荷を満載してリスボン港に戻ってきたのである。

こうして、ヴェネツィアは東方貿易による権益を失い、北イタリアの領土支配に延命を託すことになった。たしかに、「アドリア海の女王」と呼ばれ地中海に君臨した過去の栄光は影をひそめ、冒険的精神にあふれた真に建設的な時代は終焉（しゅうえん）を迎えた。だが、東方貿易の独占による巨富を常に蓄積してきたヴェネツィアでは、その後、むしろ市民の内面的生活の充実を求める気運が醸成され、独特の爛熟した都市文化と市民生活が創り出された。芸術史上に輝く華麗なヴェネツィアのルネサンス、バロックの開花もこうして訪れた。

また、この町の生活文化の豊かさを知るには、本屋の店頭をのぞいてみるとよい。ヴェネツィア方言の辞書に始まり、民間伝承、寓話、祭りと見世物、芝居、料理、薬、物売りの声、居酒屋、ゴンドラと船頭、庶民の歌、庶民の祈り、庶民の遊びとパズル、パラッツォの図集、煙突のスケッチ、通りの名前の語源、井戸の装飾……という具合に、この町の風俗、文化を語る本は枚挙にいとまがない。この時期の建築を見ても、華麗なパラッツォから庶民の高密集合住宅に至るまで、各階層の生活様式に応じた持ち味のある住宅作品が、町中にぎっしり詰まっている。それらの一棟一棟がヴェネツィア人の美意識と住意識の高さを物語っているのだ。

ルネサンスとの出会い

本土への進出に伴い、当時すでに支配的となっていたルネサンス文化が、ヴェネツィア芸術にもエポックをもたらすことになった。フィレンツェ、ローマにだいぶ遅れをとった一四八〇年代のことである。

しかし、すでにほぼ完成した中世的原理に基づく自然条件にうまく順応した独特の都市構造はこのルネサンス時代とそれに続くバロック時代にも、本格的な改造を受けることはなかった。都市の建設活動は、大規模な建築への置き換え、運河、道、広場の再構成によって、アクセントのある華やかな都市空間を創り上げることに集中していたのである。一五〇〇年当時の様子を示すデ・バルバリの古地図を現状と比べながら、ルネサンス以降の都市の変化をたどってみよう。

まず、教会や貴族の豪邸が数多く再建された。それらは特に、カナル・グランデや主要広場に面して現われ、都市の視覚的な再構成に大きく貢献した。ルネサンスを迎えると、社会的な職能としての建築家の地位が確立し、それぞれが個性をもった作風で表現を競い始めたのである。

ルネサンスの貴族住宅パラッツォ・コルネリ・スピネッリ。装飾性豊かな中世の伝統的な構成と新たな比例感覚が巧みに融合した初期ヴェネツィア・ルネサンス建築の傑作

ルネサンス様式の建築は、まずミケロッツォなどのトスカーナ地方の建築家によって紹介されたが、まもなくパラッツォ・コルネリ・スピネッリの作者マウロ・コドゥッチなどのロンバルディア地方の建築家が活躍することになった。彼らは、ヴェネト・ビザンティン様式以来の地域の伝統的

な構成と装飾的・彩色的趣味を生かしながらも、新たな比例感覚に基づくファサード構成を取り入れ、珠玉のような初期ヴェネツィア・ルネサンスの様式を完成した。

ルネサンス時代に入ると、それまでのゴシック住宅に見られた外階段のあるコルテを一方の側にもつ非対称プランが捨てられ、古典的な対称形プランが好まれるようになり、続くバロック時代には、彫塑的（ちょうそてき）で豪壮な構成をもつようになるものの、ヴェネツィア建築としてのアイデンティティを失うことはなかった。すでに説明したように、三列構成のプランは、ゴシック時代にはこの町の地域的伝統として完成しており、ルネサンス、バロック時代においても、ほとんど常に踏襲（とうしゅう）されたからである。建築家の大きな関心は、この内部構成に合わせてどのようなファサードをつけるかにあったとさえいえる。このように、基本的構成原理が存在したヴェネツィアでは、外から新たな様式が導入されてもこの町の個性の中に溶解し、そのたびに新しい様式上の変化をはさんだ調和のある町並みが再構成されていったのである。

だが一五二九年にローマからこの地へ移ったサンソヴィーノ（フィレンツェ生まれ）の場合、やや事情が異なる。他の建築家に比べ、彼はヴェネツィアの伝統に対してラディカルな態度をとり、本格的なルネサンス建築のもつ古典的秩序の厳格さをこの町へ持ち込むことに徹したのである。

また、一五五九年からは、パラーディオ（イタリアのルネサンス建築家）がこの地で活躍した。彼は、それまでの平面的で量感をもたない、町並みに溶け込んだヴェネツィア建築のあり方から抜け出て、傲慢とも見える個性によって、ダイナミックな都市形成の拠点となるどっしりした建築をつくりあげた。

サン・マルコ小広場からサン・ジョルジョ・マッジョーレ教会を眺める。ルネサンスの時代には、水面も取り込み、大きなスケールでの景観演出が実現した。

ところで、南イタリアの町、バーリ出身の建築科学生キアラ嬢は、ヴェネツィアの建築を評してなかなかうまいことを言っていた。「強烈な太陽の下でくっきりとした形を表現する故郷の南イタリアの建築と比べ、ヴェネツィアの建築はまったく逆だ。霧の中で遠近感を喪失して平面的に見える時が最も美しいのだから」と。この彼女、一年間のヴェネツィア生活で気が滅入ってしまい、本土側のメストレの町のモダンで開放的なアパートに引っ越したものの、また近頃では味気ない新しい町がいやになり、ヴェネツィアの古い町へ戻りたくなったと言う。女心はどこの国でも実に難しい。

彼女の言葉と照らし合わせても、たしかにパラーディオの立体的な力の漲（みなぎ）った建築は、ヴェネツィアの中では異色であった。サン・マルコ広場の角を南に折れて、ピアツェッタと呼ばれる小広場に立つと、大きな運河を隔てて、対岸にサン・ジョルジョ・マッジョーレ教会、そのずっと右手にイル・レデントーレ教会が目に飛び込む。いずれもパラーディオの代表作である。この二つの教会と対岸のザッテレの広い岸辺、サン・マルコ広場、その東へ続くスキアヴォーニの岸辺から成る、広いラグーナの水面を取り込んだ都市景観の再構成は、ヴェネツィアの町に見られた数少ないバロック的なスケールと力とを示す都市計画の一つであると言えよう。

リアルト橋再建に見るヴェネツィア人気質

そしてその中に、一〇〇年ののち、ロンゲーナ（イタリアのバロック建築家）の手によって真のバロック建築であるサルーテ教会がつけ加えられた。当時大流行したペストが鎮まったのち、聖母マリアに感謝して献堂されたために、サルーテ（救済）という名を冠している。この教会をはじめとする一七世紀のバロック建築は、ルネサンスの環境に無関心な古典的簡潔さを捨て、巨大なマッスをもちながら、幻想的で明暗の変化と柔らかなリズムを伴った表現を獲得し、ヴェネツィアの建築・都市芸術を円熟の極致へと高めた。しかし一般的には、ヴェネツィアの人々は、慣れ親しんだ都市環境を変化させることに保守的な態度を見せた。

まずそれは、カナル・グランデにかかる唯一の橋であったリアルト橋の、一六世紀におこなわれた再建の際に現われた。それまでは、一五世紀末のカルパッチョの絵に見られるような、中央がはね上がる木の橋がかかっていたのにたいし、一五〇七年に競技設計応募案の中から選ばれたのは、差し渡し二八メートルの巨大なアーチによってひとまたぎでカナル・グランデにかかる、

大運河のイメージを刷新したリアルト橋。中世の木の跳ね橋に代わって登場したこの壮麗な石橋は、上に2列の商店街群をもつ水上の市場空間であり、また陸上と水上の視線のやりとりを生む演劇的な小広場でもある

力強い石の橋のプロジェクトであった。ミケランジェロ、パラーディオ、ヴィニョーラ、サンソヴィーノ、スカモッツィら、当代一流の建築家の応募案を差しおいてこの競技設計に勝ったのは、無名のアントニオ・ダ・ポンテだったのである。だが、このあまりに大胆な案の実施にたいしてその後幾多の敵対行動が起こったため、工事が完成にこぎつけたのは、実に八〇年以上経た一五九一年のことであった。この事実は、自分たちの町の景観の変化にたいしてヴェネツィア人がいかに慎重だったかを物語っていよう。

また、一五一四年のリアルト市場の大火災の復興の際にも、伝統的考え方と私有財産への執着が障害となり、結局狭くてごちゃごちゃした道路システムと野菜や魚の市場がひしめきあう地区構成は、そのまま旧状に復してしまったのである。こうして、ヴェネツィアの古い都市内部では、ひとたび完成した変化に富む水の町独特の中世的都市空間は、本格的な変更を受けることなく今日まで生き延びてきたのである。

このような古い都市構造の中で何代にもわたって生活し続けてきたヴェネツィア人が、現代文明の中でさらに保守的になるというのもうなずける。東方貿易に乗り出した冒険的商人の心意気はすっかり色あせた。ヴェネツィア人の見せる自分の町への誇りと愛着は、ミラノやトリノなどの近代都市の生活が気になるけれど恐ろしくてとても出て行けない、というコンプレックスの裏返しと見られなくもない。イタリアの他の町から勉強にやってくる学生たちが、ヴェネツィア人は閉鎖的で物わかりが悪い、とけなすのも理由がないわけではないのだ。しかし日本でも京都がそうであるように、この古い町が一方で生命力にあふれた芸術作品や革新的な政治の動きを生み出すのだから面白い。というよりむしろ、混迷の時代を迎えた今日、地球の隅々まで伸びつつある機械文明、消費文明の魔手から逃れてきたヴェネツィアこそ、その利点を生かし、人間を中心にすえた都市文明を再び構築するための拠点になりうる、というパラドックスがそこにあるのだ。

ルネサンス時代には、教会、パラッツォ、橋などの建設と並行して都市の公共空間の舗装・整備が進められた。デ・バルバリの鳥瞰図によれば、それが描かれた一五〇〇年の時点では、サン・マルコ広場、サン・ポーロやサン・ザッカリアなどのモニュメンタルなカンポを除くと、他の広場は未舗装の状態だった。ヴェネツィア文化に生彩を加えるカーニバルなどの祝祭、見世物の舞台としても、広場の舗装は重要な課題となっていたのである。

集合住宅・レオナルド型階段の工夫

さらに成長するヴェネツィアの都市の内部では、それまで二階か三階にすぎなかった中産階級や庶民の住宅が上方へ増築され、高密度な都市空間の形成が進んだ。また、古い地区でもやや周辺部に位置するところでは、土地にゆとりがあったため、計画的な賃貸用の大規模集合住宅の建設活動が見られた。

島という限られた土地の上に町をつくったヴェネツィア人は、古来集約的な土地利用のために、広場や道の外部空間の合理的な共同利用と同時に、集合して住むためのさまざまな工夫をしてきた。都市が飛躍的な発展をとげ、人口が増大した一四～一五世紀ともなると、貴族のパラッツォにおいてさえ、同一建物に二家族が住む形式が考えられたのは、すでに説明したとおりである。

一方、庶民の集合住宅は、まず都市化の進んだゴシック時代になると急速に広がっていった。初めは、一、二階を一家族で使う単位とし、それが長屋風に横に帯状に並ぶ最も単純なものとして形成された。すでに述べたサンタ・ソフィア地区の庶民住宅がその典型例である。広場と運河に面する条件のよい場所は、華麗な貴族のパラッツォによって占められたので、その裏手の狭い道に面してこれらの住宅が建てられることが多かった。プランニングの技術が進むと、貴族のパラッツォで見られたのと同じく、上下に二家族がプライバシーを守りつつ住み、その単位が横に帯状に並ぶ庶民住宅の構成が定着し、集合性が高められた。

この町が歴史上最大の二〇万近い人口を擁した一六世紀には、集合住宅にとってかなめとなる階段室に巧妙な工夫が取り込まれた。二家族が一八〇度ずれて表と裏からアプローチし、同一階段を使いながら交差せずに上階へ達するというものである。上りと下りが抱き合わせになったエスカレーターと同じ方式と考えればよい。これは、フランスのシャンボール城でレオナルド・ダ・ヴィンチが設計したといわれる二重らせん階段と同じ原理であるところから、ヴェネツィアではレオナルド型階段と呼ばれている。

住宅としては非常に珍しいこの階段がヴェネツィアに広く分布していることを見ても、住まいにたいする明確な理念がここには確立していたことがわかる。それはすなわち、住宅内部には多くの家族が集合して住む場合にも絶対にプライベートな階段を確保する、というものだった。実はこのことは、ヴェネツィア人が広場をはじめとする都市空間を公共的なものとして積極的に使うことと表裏一体の関係にあった。このように都市生活の中に公私のけじめをはっきりつけようとする姿勢を彼らは早くから身につけていたのだ。いかにも個人主義に生きる商人の町らしい話である。

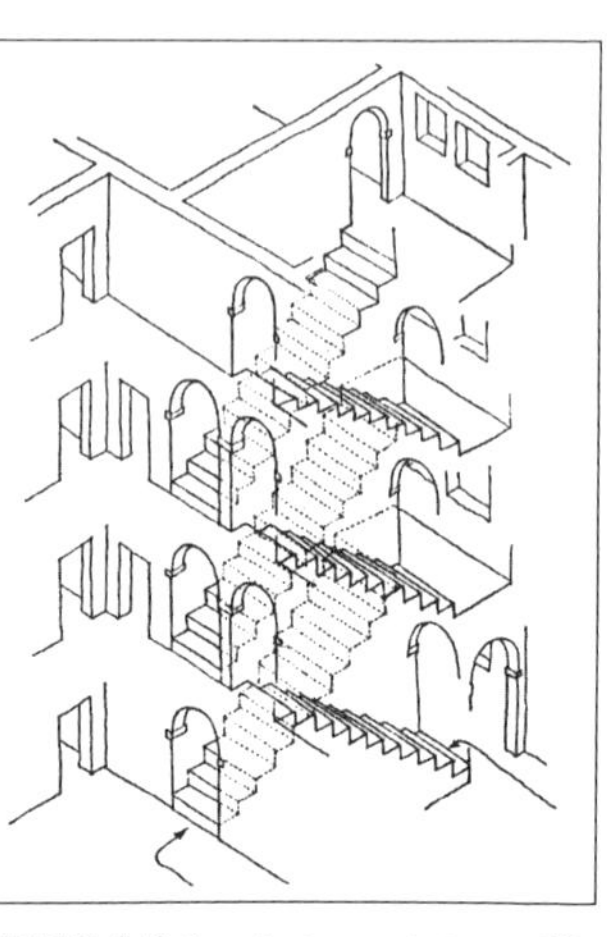

庶民集合住宅のためのレオナルド型階段模式図。多くの家族が同じ建物にプライバシーを尊重しながら集合して住むために、住宅として珍しい一種の二重らせん階段が積極的につくられた

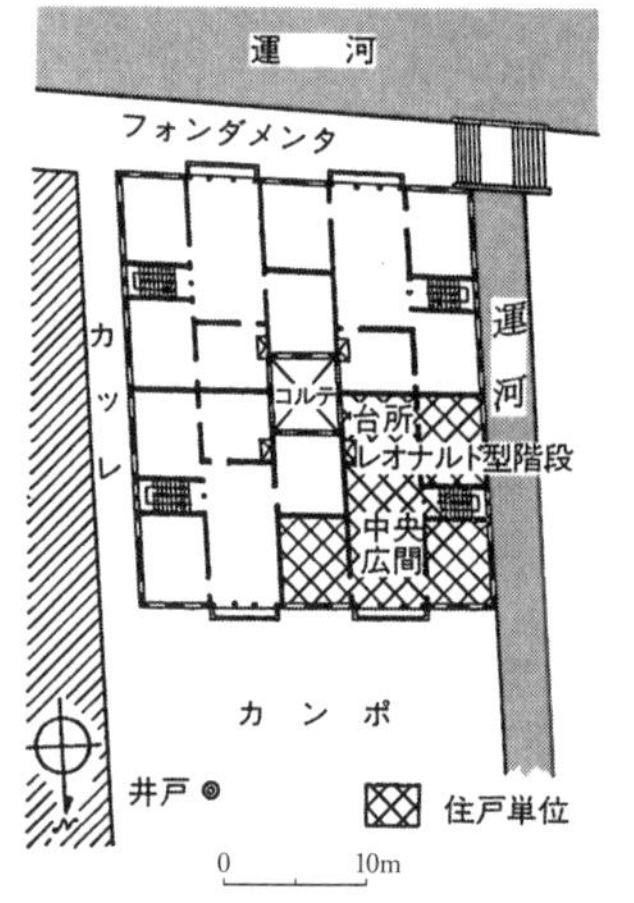

ザッテレの賃貸集合住宅2階平面図。ヴェネツィア建築の特徴をふんだんに取り入れた16世紀末の大規模な賃貸住宅

一六世紀末にザッテレの広い岸辺の西端に建てられた大規模な賃貸用の住宅は、それまでヴェネツィア人が蓄積してきた、さまざまなアイデアにより簡潔なプランにまとめ上げられた興味ある例である。周囲の家並みから独立して建つ、大きなさいころのような形をした四階建てのこの赤茶色の建物には、四つのレオナルド型階段が置かれ、二階と三階の主階にそれぞれ四家族ずつが住む。一階は入口と倉庫、四階は収納のための屋根裏部屋であり、いずれも八家族の間で分割して使う。運河とカンポに面して五分割構成のファサードを向け、各階にそれぞれ二つのバルコニーをもつが、内部をよく見ると、各住居単位は変則的ながら三列構成をとり、ヴェネツィア住宅の伝統を保持している。中央にとられたシリンダー状のコルテは、奥に配置された台所の通風、採光を保証している。これらの工夫によって、従来の住宅がもっていた居住水準を維持しながら多くの家族が同一の建物に住むことに成功したのである。

ヴェネツィアの町を歩いて変化に富む建築群を見ていると、複雑に織りなされているような印象を受けるが、実は明快な意図のもとに設計されているものが大部分なのである。庶民の最小限集合住宅においてさえ、合理的設計が生み出す明快なリズムの上に、煙突、コーニス、窓飾りが豊かに重ねられ、絵画的効果を見せている。プランニングの経験的蓄積が豊富だったヴェネツィアにおいてのみ、このような集合住宅における前衛性が発揮できたのである。

そして、慣れてくると、表側から眺めているだけで、煙突の位置、窓や入口の配列等から、内部のプランが読み取れ、生活の様子が思い描けるようになる。ヴェネツィアの住宅は、内部機能が実によくファサードの構成に反映されているのである。

洗濯物がはためく養護院「オスピツィオ」

イタリア人自身が本当の集合住宅と呼ぶ建築の代表的なものがオスピツィオ（養護院（ようごいん））である。一〇世紀に最古の養護院がつくられて以来、公共的救済活動として共和国、スクオラ（宗教的同信組合）、信心深い市民の手で、数多くのオスピツィオが建設されてきた。

その一つは、一四世紀に起源をもつ、共和国によって建設されたコルテ・コロンナの海員住宅である（現在のものはおそらく一五世紀）。共和国のために命をかけて東方の海へ乗り出す船乗りにたいし、その家族への社会保障として提供されたものである。まったく同じ構成をとる建物が平行に三棟並び、全体で五二家族が居住できる。それぞれの棟の間にはカッレとカンポの中間形態の集合的スペースがとられ、井戸も備えられていた。現在も市営の庶民住宅としてそのまま使われている。

西側の棟に沿って、アーチ窓を観察するために上を見上げながら歩いていると、三階の窓から顔を出した気のよさそうなおばあさんが大声で私を引きとめ、ぜひ上に上がってこいと手招きして、電気仕掛けの自動扉を開けてくれた。これ幸いと好意に甘えて、私は簡素な古い木の階段を上って彼らのアパートを訪ねた。もともと庶民の最小限住宅として作られたとはいえ、小学生の女の子をもつ若夫婦とこのおばあさんという家族構成にとって、3DKの間取りは決して狭くはなかった。特に寝室にあてられた二部屋は、立派な家具で飾られ、十分な広さをもっていた。

イタリアでいつも驚かされるのは、どこの家を突然訪ねても、誰に見せてもいいほどに隅々まできれいに整頓され、磨き上げられていることだ。イタリアの主婦の料理、掃除などの家事に示す熱意に敬服させられると同時に、公共空間や建物の外壁が汚れ放題になっても意に介さない一方、自分の家の内部は潔癖すぎるほどに磨き上げる彼らの精神構造に興味を引かれる。彼らは、外壁の塗り直しは大家の任務、公共空間の清掃は市当局の仕事であると割り切り、すべての関心を住まいの居住性の向上に向け、インテリア、家具に投資するのである。

このような考え方をするイタリア人の住宅への権利要求は徹底しており、その成果あって、住宅政策は都市行政の中でも最も重要な位置を占めている。ローコスト庶民住宅においても、高い水準の居住性が獲得されているのである。

路上に洗濯物がはためく海員住宅。街の東側の庶民生活が今も持続するカステッロ地区にあるだけに、路上にはたくさんの洗濯物がひるがえる

より集合性の高い独立した環境を構成しているオスピツィオの代表例として、一六世紀に私人の遺言に基づき、サン・マルコのスクオラによって貧しい会員二四家族のために建設された、コルテ・サン・マルコの住宅がある。井戸をもち共同の物干し場にもふさわしい広いコルテの四方を、二階建ての建物がロの字形に連続して囲んでいる。ここに確保された内部の落ちついた環境は、運河沿いのフォンダメンタを歩いていては想像もつかない。

ヴェネツィアには、捨子、身寄りのない老人、病人などの個人が集合するためのオスピツィオも数多く建てられた。この場合には、構成員の性格に応じて工夫がなされた。若者のためには、相互の交流を考え、勉学、労働、レクリエーションのための集合的スペースを設けた、寄宿舎に近い構成がとられた。一方老人には、スキアヴォーニの岸辺に一三世紀以来存在しつづけるカ・ディ・ディオ（神の家）のように、各部屋に最小限ながら付帯設備を設け、落ちついた環境を提供した。

町の随所に分布する多種多様のオスピツィオの存在にも、ヴェネツィアの都市社会のもつヒューマンな性格の一面をうかがうことができよう。オスピツィオの多くは、集合性を生かした構成をとるため、普通の建築群とは異なる独特の建築環境を生み出しており、庶民にとってのモニュメントとなっている。

第三章　足と舟と五感で楽しむ町　ヴェネツィア

落ちつくヒューマン・スケールの都市

何世紀にもわたって個性的な都市環境を創りあげたヴェネツィアは、その特殊な構造のために、自動車の侵入をはじめとする近代の都市の大改造を免れ、歴史的時代とほとんど変わらぬ姿をとどめている。われわれはこの町を歩くことによって、今もなお歴史に現われた世界を追体験(ついたいけん)できる。特に、近代都市にまったく失われてしまったヒューマン・スケールの都市のもつ、落ちつき、豊かな生活を、そこに感じることができる。

ヴェネツィアは、各島々が有力家族を中心とした教区コミュニティに相当し、それらが運河を主要な交通網としつつ集合して共和国を形成する、という特殊な社会組織と都市構造の上に成立した。この特異な事情のために、それぞれの地区は、都市の全体計画に従属することなく、島の形態や運河との関係を生かしながら、コミュニティ内部の人間のスケールと動き方に合わせて形成されることになった。ここに、他に類例のないヒューマン・スケール都市の成立した秘密がある。

まず第一に、馬車の喧噪(けんそう)から防衛する必要もなく、人間の低い視点に合わせた設計で十分であったことから、軒の低く窓の大きい家並みが可能になり、道幅も狭くなった。このような建築は、地盤が弱く、しかも密度高く建設しなければならない町では、特に合理的であった。窓辺と道との間でおしゃべりに興じたり、ロープで籠(かご)を降ろして物売りの手から品物を受け取るような、内と外とのやりとりも生まれる。ここでは大きな建物が重々しく都市を支配せず、それぞれの小住宅ものびのびと自己を主張している。建築を飾る意志は、この町では壮大なプロポーションに向けられるかわりに、ヒューマン・スケールに合ったデザイン密度の高い華麗な建築装飾に行きつく。ひじ木や持ち送りなどの木の部材による表現をはじめ、独特の形をした煙突、窓飾り、バルコニー、繊細なレリーフ、メダイオン（円形の装飾）、彫刻などが優しい表情をつくる。

そしてさらに、歩行をもとにしていることによって、外部空間を細かい変化を含みながら自由につくることも可能であった。直角に折れる狭い道でも、足音によって人の接近を感じ、ぶつからずに曲がれるし、低いトンネルを通り抜けることもできる。車文化の中で動物的感覚を失いつつある現代人は、明快な道路システムのある町のみが唯一のものだと考えがちである。しかし人間が自ら歩くこの町では、コミュニティのあり方に適応したさまざまな形態の外部空間を、ヒューマン・スケールに合わせて自由に置き並べることも可能だったのである。

車のない町で地元民と「オンブラ」を飲み歩く

ヴェネツィアの建築と都市のしくみがわかってくると、私の興味は次第にそこにおいて展開される人々の生活、交流のあり方に向けられていった。まず、この水に囲われたヒューマン・スケールの町の中を、ヴェネツィアの人々がどのように動き回っているのかに好奇心を向けた。

この町では、すでに見たように、もともとばらばらに集合していた島の相互間にも、時代が下るとともに橋がかけられ、都市全体の歩行システムが整備されてきた。こうして、いちいち舟を漕ぎ出す必要もなくなり、人々の町の中での移動は活発になってきた。さらに、産業革命後の一九世紀中頃には、カナル・グランデ沿いの停留所を連絡する蒸気機関の水上バス（ヴァポレット）の運航が開始された。同時に、カナル・グランデに新たにアッカデミア橋とスカルツィ橋（鉄道駅の近く）がかけ渡され、数多くの運河の埋め立てがおこなわれたことによって、陸上の歩行システムも大幅に改善された。こうして、ヴェネツィア市民は水上バスと自分の足を利用して、仕事に、買物に、つき合いに、町の内部での生活圏を拡大することができたのである。

それにしても、車が侵入しないことは、この町にとって決定的な意味をもつ。車への何の警戒もなく、ぽかんと、あるいはおしゃべりに興じながら歩く行為自体が、ここでは楽しいのだ。フォンダメンタ（運河沿いの道）を折れ、建物にはさみつけられた狭くてうす暗いカッレ（路地）を通り抜けると、光の充満する華やかなカンポ（生活広場）に流れ出る。こうして、ヒューマン・スケールに基づく設計原理に支えられ、形と大きさを与えられた独特の外部空間を歩きながら、われわれは、閉じたり開いたりするドラマチックな空間的変化の中に圧倒されてしまう。次の島へ渡る橋ごとに繰り返される階段での上下運動も、歩行に心地よいリズムを生みだす。ある時には、橋の手すりに身をもたれながら、水とそれに映る建物の光と影の中に我を忘れ、しばしたたずむ。

また逆に、急がねばならない時には、いちいち停留所で舫い綱の操作に時間をとられるのんびりした水上バスよりも、複雑に折れ曲がる道路でもそれに沿ってせっせと歩いた方が早いくらいである。そんなわけで、ヴェネツィアの人たちは、ともかくよく歩く。

変化に富む都市空間。運河沿いのソットポルテゴ(トンネル状の道)を抜けて橋を越える

しかし物資の運搬は、今でもすべて舟に頼らざるをえない。手押車にしても、橋を渡るたびに、舟との立体交差のために設けられた階段によって、機動力を著しく奪われるのである。リアルト市場の横を早朝水上バスで通ると、野菜を山積みにした小舟が何艘も集まり、水の都ならではの活況を呈しているのを目にできる。

人々がどのように町を動き回り、どのように町を認識しているかを知りたいと思っていた私にとって、ある日またとないチャンスが訪れた。昼食を早めにすませて、いつものようにカメラと図面を抱え、西南の地区を調べ始めた私に、三〇代後半と思える二人の生粋のヴェネツィア男が、好奇心をもって話しかけてきた。よくあることなので、また仕事が中断するのも困ると思い、すげなく応答していたのであるが、あまりに熱心な誘いを断わり切れず、彼らについて居酒屋へ入ることにした。

この町は、酔っ払って千鳥足で歩いていても馬車に蹴散らされる心配がなかったせいか、昔から酔っ払い天国のようだ。エリオ・ゾルツィの『ヴェネツィアの居酒屋』という楽しい本も、ヴェネツィア文化理解に欠かせぬものの一つである。ヴェネツィアの人々は、「俺たちの町には、好きな時にワインを飲む自由がある。そこから芸術も生まれるのだ」と誇る。しかし普通彼らは、ワインとは言わず、「オンブラを一杯」と注文する。昔、サン・マルコ広場のある鐘楼の裏側の日陰に居酒屋が出ていたところから、陰という意味のオンブラがワインの代名詞になったと言う。

彼らは、一軒の店で決して長居はしない。多くて二杯どまりで、また次の店へと所を移す。テーブルで長居しているのは、老後を愉快に過ごそうとする年金生活者だけだ。彼らは、家に閉じこもらず、その日の飲み代を賭けて、終日居酒屋でカードに興ずるのである。

私は行きずりのこの二人からついに逃れきれず、この午後の調査はあきらめて、最後まで彼らにつき合おうと決めた。腹の出たとぼけた感じのロベルトは長期休暇中の船乗り、背の高い美男のジュゼッペは日雇いの港湾労働者ということで、二人ともその日は暇をもてあましていたのに違いない。結局、晩の一一時まで一〇時間近くも、ワインやビールを飲みながら、オステリア(居酒屋)、バール、カフェなどを一三軒も梯子して歩くことになってしまった。それにしても、彼らが町中の居酒屋を熟知しているのに、そして、酔いが回ってきても、この町の複雑な裏道を迷わず次の店へたどりつくことに感心させられたものである。行く先々で彼らは、ゴンドラの船頭、学校の先生、絵かき、八百屋のおやじさんなど、自分たちの知り合いを見つけては、私に紹介してくれた。最後には足元の危なくなったわれわれは、町のまったく反対にあたるサン・マルコ広場の東裏の居酒屋で、肩をたたきながら別れたのである。

この経験からも推して知れるように、ヴェネツィアの人たちは、仕事がひけると、飲み屋に立ち寄りながら、ずいぶん広い範囲を散歩して楽しむ習慣をもっている。車のない町ならではの魅力である。

町を歩くもう一つの楽しみは、道端での友人、知人との出会いである。ヴェネツィアは、その本島の中に今でも一〇万の人口をもつ大きな町であるにもかかわらず、町中を三〇分も歩けば、二年住んだだけの私でさえ、ずいぶん多くの知人に出くわす。「チャオ」の挨拶から、橋の上で、広場の真ん中で、しばし立ち話が始まる。車で移動することの多い普通の町では、友人同士同じようにすれ違っていても、気がつかずに過ごしてしまうのであろうか。

気楽に立ち話の輪ができる生活広場

イタリアのどこの町にも、人が集まって立ち話にふける広場が必ず見られるが、ヴェネツィアではサン・バルトロメオのカンポがそれにあたる。リアルト橋のたもとに位置するこの広場は、四方から数多くの道が合流する中心点になっているからである。周囲を銀行、郵便局、貴金属店、カフェに囲われ、真ん中に一八世紀のこの町の喜劇作家ゴルドーニの像をもつこの広場は、終日にぎわいを見せている。特に昼休み時と夕方の仕事の引け時には、仲間を求めて老若男女がここへ集合し、無数の会話の輪ができる。真冬でさえ、ここだけは足の踏み場もないほどに人でぎっしり埋まるのだから不思議である。

だが、こうしてこのカンポに集まるのは生粋のヴェネツィア人だけであり、しかも彼らはいくつもの小グループを作って固まってしまう。他の地方からきている学生、外国人の留学生、観光客などのいわゆるよそ者にとっては、ちょっとはいりこみにくい奇妙な大集団なのである。しかし、これだけ観光化した町のど真ん中にも市民の占拠する広場があるというのは何とも面白い。

数多い住宅地区の広場の中で、人が好んで集まるのは、カンポ・サンタ・マルゲリータ、カンポ・サンタ・マリア・フォルモーザ、カンポ・サント・ステファノである。これらの広場には、一年の半分近くの間、カフェのテーブルが並び、夏は日除けのパラソルがいろどりを添える。

こうして町のどこに住む人も、歩いて簡単に居心地のいいカフェに着ける。年金生活に入った老人たち、授業をエスケープした学生たち、家事から解放された子ども連れの女性たちが、自分の好みに合ったカフェの戸外に並んだ椅子に陣取り、一杯のコーヒーでのんびりと時を過ごすのである。車の排気ガスも騒音もない広場には、子どもたちのにぎやかな歓声だけが響き渡っている。もちろん私も、うっとうしい下宿の部屋から本を小脇に抱えて抜け出し、すぐ近くのサンタ・マルゲリータ広場のお決まりのカフェへ足を運んでは、このヴェネツィアならではの最高のぜいたくに身を任せたものである。

しかし、このような日頃にぎわいを見せる戸外の場所も、長く厳しい冬の間はまったく様相を変える。広場からは人の姿が消え、運河の水は色彩を失い、石造りの町全体が霧の中にひっそりと身を沈める。それだけに、人々の春を迎える喜びには想像を絶するものがある。待ちに待った太陽が姿を見せると、広場という広場には、子ども連れの母親がいっせいに飛びだす。こうして、町には一気に生命感がよみがえるのだ。三月初旬のある日、陽光のまばゆいザッテレの岸辺で目にした、はしゃぎ回る子どもたちの姿は、今も忘れることはできない。

自然発生型のサンタ・マルゲリータ広場

一九七五年の六月下旬、戸外で過ごすのに最も心地のよい時期に、京都大学の渡辺真理（わたなべまこと）氏と、サンタ・マルゲリータ広場の総合的な調査を試みた。それはいうならば、コミュニティの生活と広場の密接な結びつきを知るための一つのケース・スタディであった。この広場には別にすぐれた建物が多いわけではないのに、不整形な面白い形態の中に人々の生活模様が生き生きと投影されていて、ヴェネツィアでも最も人気のある庶民広場となっている。下宿から目と鼻の先のこの広場には、私も日に何回となくやってきて、自分の庭先のように感じていた。

いつものように、広場がどのように成立したかを知るために、この島全体の形成過程を歴史的にたどることから始めた。その結果、まず西の湾曲した運河に沿って初期の居住地が現われ、次いで北の運河に沿ってビザンティンの商館の並ぶ一角が形成されたこと、さらに都市建設の黄金期であるゴシック時代に、カナル・グランデに沿ってこの島の表の顔にあたる貴族住宅群が建設されるのと並行して、島内部のサンタ・マルゲリータ広場が庶民生活の中心として完成されたことが明らかになった。

また私は、歴史的に固まったこの地区の住民構成を調べるために、サンタ・マリア・グロリオーザ・デイ・フラーリ教会の修道院を再利用して置かれている国立文書館に通いつめて、ナポレオンのヴェネツィア占領時代に作成されたこの町の不動産台帳(一八〇八年)を繰ってみた。各棟ごとに記載されている用途、所有形態を調べてみると、地区全体の特性が鮮やかに浮かび上がった。やはり、カナル・グランデに面した邸宅はすべて持ち家であり、その裏手の職人居住地区には、小さな賃貸の店(上階は小刻みに分割された貸し住居)が数珠(じゅず)つなぎに並ぶ。一方、住宅地区の商業センターとして形成されたカンポの周辺には、貸店舗、貸家の間に、ところどころ持ち家の小邸宅が見られる、という図式である。ヴェネツィアでは、このような社会的ヒエラルキーが各島ごとに厳然として存在するのだ。

このカンポも、本来は南側で定石通り一辺を運河に接していた。だが近代化が始まる一九世紀

政治的プロパガンダも含む多様な機能をもつサンタ・マルゲリータ広場

になると、広場の活動力を高めるためにこの運河も埋め立てられ、カンポから水面が失われた。広場の南に、ぽつんと孤立して建つ元なめし革工養成学校の建物は、一見奇妙な印象を与えるが、運河の跡を示す白い石の線がこの建物に接しているのを見れば、なるほどとうなずける。現在これは、キリスト教民主党支部の建物として使われている。

この一帯のドルソドゥーロ地区（行政的に六つに分割されるヴェネツィアの町の南西部にあたる地区）は、南のジュデッカ島と並んで、選挙のたびに共産党が票田としている庶民地区であり、サンタ・マルゲリータのカンポはその中心であるだけに、ここでの政治的駆け引きは興味深い。選挙が近づくと、若い学生、労働者が広場いっぱいに政治集会を繰り広げ、インターナショナルの歌を高らかに合唱するのと対照的に、中年以上のヴェネツィア紳士たちは、片隅の閉鎖的なこの建物に籠（こも）って集会をもち、最後はイタリア国歌で手を締めるという具合である。

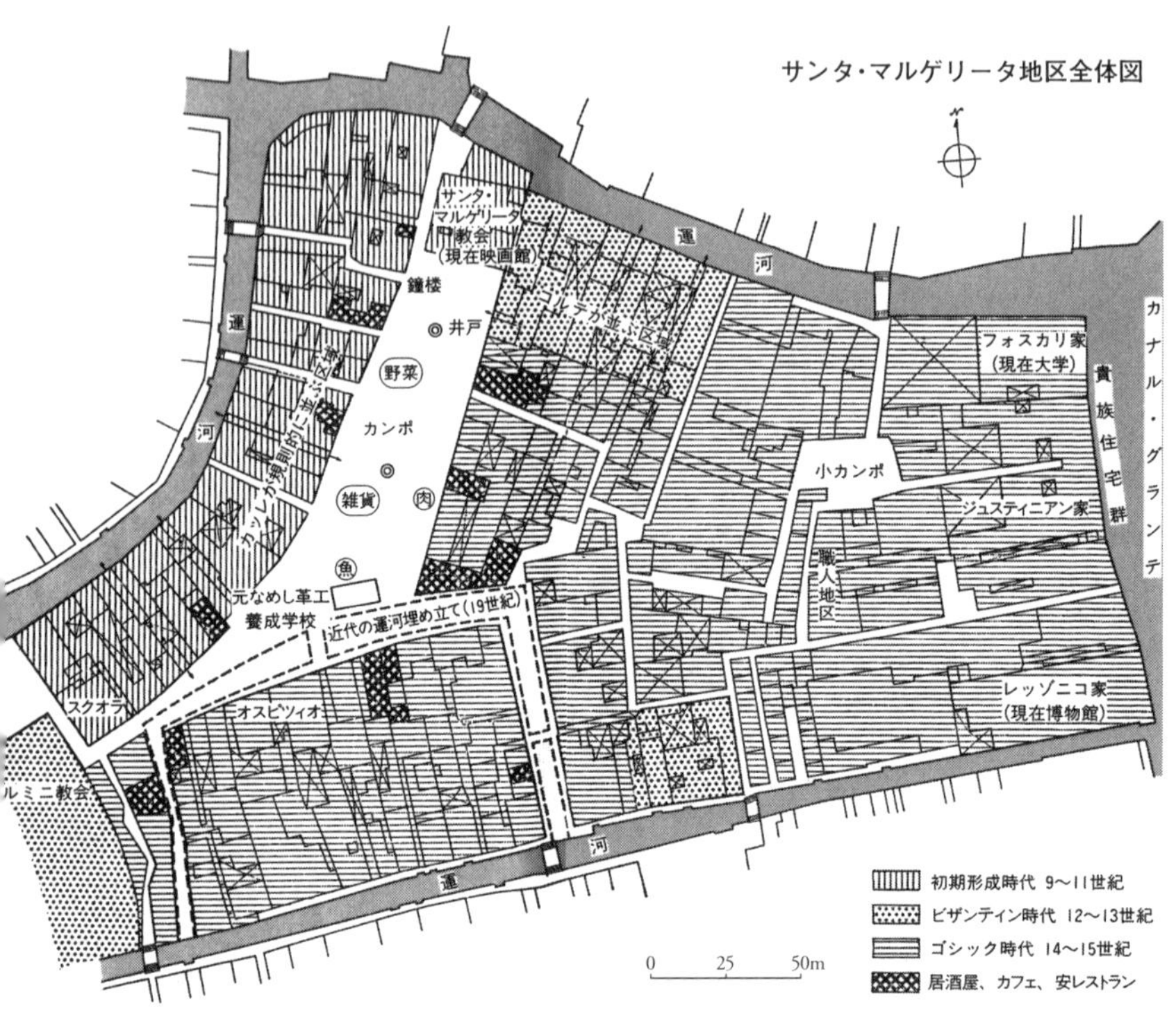

サンタ・マルゲリータ地区全体図

次に老人たちからの聞き取りによって、このカンポ周辺の建物にまつわる歴史、エピソードを知ることができた。もちろんこの頃には、私もヴェネツィア方言にだいぶなじんできていたから、話をとり違えるようなこともまずなくなっていた。彼らは、変わりゆくこの広場を嘆きながら、昔日への郷愁をこめて語ってくれた。

今では客もまばらな東面中央の宿屋カポンにも、戦前ムッソリーニが宿泊し、翌日この広場で演説をした、という誇らしい歴史がある。やはりその頃、西面の現在のスーパー・マーケットの場所に、カフェ・グランデという新スタイルの店ができ、このマルゲリータ周辺のインテリ連中が二派に分かれて、夜中の二時頃まで対抗しあったという。伝統派はカポンに、進歩派はカフェ・グランデに、というわけである。このカンポのにぎわいも、昔はいっそう大きかったようである。現在でもこの広場に面する居酒屋、バール（イタリアではバールはアルコールも飲める喫茶店をさし、事実上カフェとほとんど区別がない）、カフェ、レストランの類は実に一四軒に及ぶが、戦前にはさらに数軒の店があった。現在のカフェ、レストランも、古くはつまみをつつきながらワインを飲むオステリアという居酒屋に起源をもつものが多い。今ではこれでもワインを飲み歩く習慣がだいぶ失われたのだという。

生活と深く結びついた広場の一日

そしていよいよ六月一三日に、われわれはこのカンポの一日の生活を詳細に記録した。

イタリアの勤労者の朝は早い。一杯のコーヒーなしでは仕事にならない彼らのために、五時半にはカフェが開き始める。市の公務員である清掃夫たちが鼻歌混じりにのんびり広場を掃き清め始めるのもこの頃である。続いて、あちこちから屋台道具を積んだ手押車を押して、露店市場の商売人たちが登場する。彼らは、毎朝路地裏の倉庫から小道具を運び出して、広場の同じ場所に店を張り、夕方になるとまた店をたたんで倉庫へしまいこむ。この繰り返しを、親子代々何十年となく続けてきたのだ。広場は市民の共有財産であるから、店の占有面積と開店時間に応じて市へ使用料が支払われる。日除けテントに屋号を書くと使用料が上がるということで、どの店も名前をもたない。ヴェネツィアに限らず、どのイタリア都市でも、生鮮食料品はほとんどこのような露店市場で売買される。開放的気候と売り買いのコミュニケーションを楽しむ気質とが、物の流通機構の近代化を許さないのであろう。

ここの商人たちは実によく働く。毎朝リアルトの中央市場から荷を小舟で運搬し、カンポに近い岸に荷揚げしたのち、手押車で自分の店まで運び込む。南の運河が埋め立てられた今日、西面の古い都市組織の中に通る何本かのカッレが、運河とカンポを結ぶ最短の連絡路として再び活用されている。彼らはこの毎日の重労働にも、つらさを顔に表わさない。ひと息つくとみかん箱に腰をおろし、カルチョーフィ（朝鮮あざみ）を薄く輪切りにする作業に、鼻歌混じりで取りかかる。

野菜、肉、鶏、魚、日用雑貨など、たいていなんでもこの市場で用が足りる。値段と鮮度から見て、リアルトの中央市場にはかなわないものの、一般の住宅地の小売店に比べればずっと買い得とあり、かなり遠方からも主婦たちが集まってくる。食事を中心として一日の生活時間が非常にはっきりしているこの国では、午前と午後の短い決まった時間に人々が殺到するため、買物もなかなか大変である。

露店市場とともにこのカンポで最も興味を引かれるのは、一四軒もある居酒屋、カフェ、レストラン等の機能の仕方である。われわれはすべての店に関して、一時間ごとに客の数とその内訳を記録し、分析してみた。同時に、できるだけ多くの人にインタヴューを試みた。その結果、広場と住民の生活が密接に結びついていることが浮き彫りにされた。

朝っぱらから居酒屋、カフェに入り浸るのは、年金生活に入った老人たちである。また商店で働く人たちも、仕事を抜けだし、コーヒーを飲みによくやってくる。昼の食事時になると、カフェからはほとんど人の姿が消え、二時〜四時頃には、広場を歩く人もまばらになる。だれもが自宅に戻り、家族とともにゆっくり食事を楽しむからだ。この二、三時間は社会的機能がすべてストップする。そして昼食が終わり一息ついた頃、また広場は活気を取り戻す。老人たちも再び姿を見せるが、午後の主役は、なんといっても子どもたちと母親たちに移る。雑誌や編み物をもった母親たちが、ぎっしりと広場に並んだカフェの椅子を占め、その周囲ではしゃぎまわる小さな子どもたちに時折心配そうに注意を向ける。いつも同じ店の決まった椅子に席をとるので、親しい仲間と必ず一緒になれるという楽しみがある。

広場の一日。毎朝、露店市場の魚屋の仮設店舗が組み立てられる。午後のカンポ(生活広場)では、カフェのまわりに集まる母親と子どもたちが、主役になる。生鮮食料品を売る露天市場の人気は根強い

数多いカフェには、主人の人柄、雰囲気、飲み物の種類、カード用のテーブルの有無等で、すこしずつ客層に違いが見られる。子ども連れの女性と穏やかな老人夫婦が集まるバール・ニコレッティ、カードに明け暮れる年金生活者の溜り場カフェ・サルス、若いカップルの多いカフェ・ジェラテリア、左翼の若者のたむろするカフェ・スポルティーヴィなど多種多様であり、住民のだれにとっても気軽に入れる好みの場所がある。

ほとんどどこの店も、五月一五日から九月一五日までの四ヵ月間、広場の店先に椅子とテーブルを並べる。もちろん、占有面積とテーブルやパラソルの数に応じて使用料を払う。若い人たちが開放的な外の場所に並ぶのと対照的に、老人たちは奥のテーブルを囲み、ワインを飲みながらカードに熱中する。

夕方になると、主婦たちは食事の仕度に家へ戻り、代わって仕事を終えた男たちが居酒屋やバールに出入りを始める。夕食前のひと時を、ワインをひっかけながら、なじみの店を仲間と梯子して歩くのが、彼らの日課なのである。

八時を過ぎると、広場からはまた人影が減っていく。家庭に束縛されない若者たちと一部の老人だけが、夜の広場に残り、ほろ酔い機嫌でだべったり歌ったりする特権を享受できるのだ。左翼の若者や労働者のたむろする南側のカフェ・スポルティーヴィが、外に並べた椅子を片づけ、店じまいを完了する深夜の一時頃、この広場の一日がようやく終わる。こうして翌日の朝五時頃まで、サンタ・マルゲリータ広場は短い眠りにつく。

この調査を通して、ヴェネツィアの人々の生活と行動が、歴史的につくり上げられた都市の形態、構造と、今なお生き生きと結びついている、ということがよくわかった。そして特に、人々の生活に必要なあらゆる要素の集まったカンポが、その鼓動によって島の隅々にまで血を通わせ、コミュニティの生活全体に一定のリズムを生み出していることを、描き出すことができたと思う。ここにおける広場空間と人間との結びつきの中に、現代の建築や都市が忘れかけていたユートピアの姿をかいま見る思いであった。

調査を打ち上げ、満天の星空の下、静まりかえった岸辺を通って私は家路についた。耳に残ったサンタ・マルゲリータ広場のざわめきが、足元を洗う運河の水の音で一つ一つかき消されていくのを感じながら、このヴェネツィアに住むことのできる幸福に、しばし身をゆだねるのだった。

ヴェネツィアの何を保存するのか

建物も繊細な優しさをもち、水の中で自然の変化を鋭敏に示すヴェネツィアの町は、多くの日本人から愛されてきた。そのせいか、この町の水没を憂える記事が日本の新聞をにぎわしたことも少なくない。東京に戻ってきた今でも、「ヴェネツィアは一体どうなるんでしょう」という質問を私はしばしば受ける。また逆に、「水底に沈んだヴェネツィアの町をアクアラングをつけて探訪するのもまた一興だろう」などという無責任な話まで飛び出す始末である。

もちろん当のヴェネツィアの町では、明けても暮れても保存の話でもちきりだった。大学の授業、シンポジウム、国際会議の席上で、あるいは広場の立ち話や居酒屋でのワインの肴に、この水の町の運命に関する話を私も耳にたこができるほど聞かされた。しかし、イタリアという国はまことに複雑でジャーナリスト泣かせであると言われるように、彼らの考え方に取りつくのに初めは骨が折れたものだ。単なる文化財の保存にとどまらず、町と住民の存在そのものに関わる基本的問題である以上、この国の人々の考え方、生きざまの全体を知る必要があったのだ。

幸いこの町のサンタ・マルゲリータ広場の調査を経験し、島という特殊な環境の中で展開される人々の生活に関心を向けていくうちに、私はこの「ヴェネツィア保存」の真の内容とその意味がようやくわかってきた。こうして私は、ヴェネツィア生活二年目の夏を迎える頃から、都市形成の歴史を研究するかたわら、現在のヴェネツィアの問題も調べ始めた。

「一九六六年一一月四日、ヴェネツィアが押し寄せた高潮の下に沈み、外界から孤立した」とのニュースは、世界中を驚かせた。今なお、町のバールに入れば、壁に掛かった写真を指さしながら、その時の恐ろしさを語ってくれる市民も多い。

この大水害のショックをきっかけとし、ユネスコをはじめとする国際機関、イタリア政府、イタリア・ノストラ（われらのイタリア）などの民間文化団体、そして市行政当局は、ヴェネツィア救済運動に積極的に乗り出した。当初、それぞれの関心の持ち方の違いもあって、保存への考え方はまちまちであり、百家争鳴（ひゃっかそうめい）の観があった。幸い、地盤沈下の方は、その原因となっていた本土側工業地帯での地下水汲み上げを禁じたことによって、ほとんどくい止められたという。

そして一〇年が経過した今日、ようやく全体の合意が形成されてきた。それは、「ヴェネツィアの町を観光のための博物館にしてはならない。歴史的環境を生きた場として保存するには、その主人公である住民にとって、古い町が住みやすく魅力的なものでなければならない。そのためには、古い住宅の修復・再生による居住環境の向上、社会施設の拡充、そして地場産業を中心とした職場の整備が必要である」というものだ。一九七六年九月におこなわれたユネスコのヴェネツィア救済国際会議の席でも、このことが確認された。

事実、華やかな観光コースを一歩はずして裏へ足を向ければ、そこはもう一般市民の住む住宅地区である。広場には露店市場が立ち、庶民の集まる居酒屋が並んでいる。むしろそこにこそ、歴史が刻まれたヴェネツィアの生きた表情を見ることができる。ヴェネツィア保存は、このような生活の舞台としての都市環境の保存でなければ意味がないのだ。

こうして都市にたいする新しい認識の仕方が生まれてくる。教会や貴族住宅などの個々のすぐれた建築こそが町の文化を物語っている、と考えるこれまで一般に通用してきたモニュメント主義の保存理論も否定される。ヴェネツィアでは水の上に建設するための構造技術的、建築計画的、さらに都市計画的工夫に支えられて生み出された、人間のための豊かな都市環境全体こそが、世界に誇る類例のない文化遺産なのである。

水とともに生きる市民の自覚

このかけがえのない歴史的都市環境を保存していくには、まず、水とともに生きるというこの町の特殊な条件を十分に見直す必要がある。それはヴェネツィアの近代の歩み全体の批判的総点検でもある。

ヴェネツィアには二つの顔がある。その一つは広場や道に面し、他の一つは水に面するものである。サン・マルコ広場は前者の、カナル・グランデは後者の晴れやかな表玄関にあたる。そこには光と色彩が横溢し、往時の栄華がそのまましのばれる。この光まばゆいカナル・グランデを後に内部の小運河へはいりこむと、ここにこそヴェネツィアの水の側の日常的な素顔があり、静かな落ち着きを取り戻すことができる。だが、舟の行き来も減った内部の運河には、完全に裏として取り残され朽ちゆくままに放置されているものも少なくない。目を覆いたくなるほどに汚れた水面と漆喰の剝げ落ちたぼろぼろの壁。それは今では、ヴェネツィアのどこにも見かけるごくありふれた風景なのだ。内部をめぐる小運河が機能しなくなったヴェネツィアは、血の巡りの悪くなった人間のようなものだ。問題は実に深刻である。

すでに述べたように、自然条件に調和し中世的原理によって形成されたヴェネツィアは、ルネサンス、バロックの都市計画原理によって大改造を受けることはなく、町と水の間には常にバランスがとれていた。この水の都に生態学的観点からの危機を招いたのは、やはり一九世紀以降の楽観的技術志向であった。近代技術を手にした人間の驕りが、この町にとっての水の重要性への自覚を失わせたのである。

まず町の随所で、人の移動を容易にし、衛生状態を改善することを理由に、運河の埋め立てがおこなわれた。リオ・テラ（埋め立てられた運河）という名前をもつ道は、すべてこれにあたる。従来の道に比べ、こうして生まれた新道は、道幅も広く、屋外カフェ、レストラン、露店市場の場をも提供し、たしかに心地よい空間を生み出した。しかし、変わりない水の循環による浄化作用に支えられて環境を維持していたこの町では、運河の埋め立てによって水がよどみ、むしろ衛生状態の悪化を招くに至ったのである。これを憂慮した市当局は、ここ二〇年来、埋め立てという蛮行を口にしていない。

　近代における新たな問題は、水質汚染とモーター・ボートによる波公害である。現在でもこの町には下水道がなく、運河への垂れ流しを続けているが、海水による分解作用に支えられて、歴史的には問題が生じなかった。ところが、各家庭で化学洗剤を使用し始めたことにより、このバランスが崩れ、汚物の完全な分解・浄化ができなくなり、水の汚染が見られるようになった。特に夏の干潮時には、運河の水底が露わになり、その臭気たるや耐え難いものがある。こうして現在、下水道の設置が、この水都の焦眉の問題となっている。

　モーター・ボートによる波は、水から直接立ち上がる建物の足元を洗い続けるため、水を吸った煉瓦造りの壁は重たくなり、亀裂を引き起こしやすくなる。この町の住宅群は、ゴンドラによる悠長な水上交通のもとで、有効に機能していたのである。同時に、モーター・ボートのガソリンも、水の汚濁の原因となっている。

　そして次に、この町が抱える最大の問題として、水没からの救済に触れねばならない。この水没の最大原因として考えられるのは、第一次大戦直後にこの町に経済力を復活させる目的で開始された、大陸沿い臨海工業地帯の建設である。地下水汲み上げが歴史地区の地盤沈下を招いたばかりか、それまで満潮時には水に逃げ場を提供していた沼沢地が工業用地として干拓されたため、ラグーナの水の微妙なバランスが崩れ、高潮を起こしやすくなったというわけである。地下水汲み上げの禁止により、幸いここ数年地盤沈下はおさまったものの、冬期には、町の低い地区で何回となく浸水が繰り返されている。

一九七五年の一一月のある日、ヴェネツィアは数年ぶりの大水に襲われた。町のほとんどの部分が水に浸かり、至る所で立ち往生の状態になった。そこで日頃ホテルの手伝いをしている男たちが、この日ばかりは旅行カバンの運搬用の手押車を持ち出し、その上に客を乗せて水の深い部分を渡す役を買って出た。長靴をもたない私も、この渡しの世話になりながら苦労して大学へたどりついたところ、研究室の仲間たちは、色とりどりの長靴をはいて定刻通り何くわぬ顔をして集まっていたのだ。さすがに彼らは大水への備えができている。しかし、こんな調子で浸水を重ねれば、建物の基礎が傷むし、湿気で一階が使えない状態が続く。

その水害対策として、現在、アドリア海から潟(かた)への入口にあたる三つの海峡に水門を建設するための競技設計がおこなわれている。ここでは、高潮の危険のある必要時にのみ、できるだけ短時間で機能する水門の技術的開発が要求される。というのも、第一に、水の自由な出入りを妨げれば、水のもつ浄化作用のメカニズムに悪影響を及ぼす恐れがあるからであり、第二に、住民の半数近くが港湾関係の仕事に従事しているヴェネツィアの町では、水門を長時間閉め、船の出入りを止めれば、彼らの生活そのものを脅かすことになるからである。水とともにでなければ生きられぬことを市民がはっきりと自覚したと言えよう。

科学・技術への楽観的信奉がもたらした人災としてのヴェネツィアの水害を、その近代の技術によって克服できるかどうかが、今まさにためされている。*

住民の生活を中心にすえた町づくりへ

しかし、これ以上の地盤沈下が一応くい止められた今日、ヴェネツィアの人々の最大の関心は、生活文化の保護という、より重要かつ難しい問題に向けられ始めている。科学・技術の力で生態学的に見た水との調和を取り戻し、物としての都市環境が保存されたとしても、それが観光資源としてのみ使われたのでは何にもならないからである。

ヴェネツィアを真の意味で保存するには、この都市環境を創り上げてきた市民が、都市の主人公としてこの町に住み、建物にも広場にも生命を通わせ続けることがどうしても必要である。さもなければ、ヴェネツィアの生活文化は枯渇し、すぐれた歴史的環境も形骸化したただの物になり果ててしまう。また、住み手が交替し、資本の手で見世物に作り変えられた歴史的町並みほど人類の歴史の尊厳を傷つけるものはない。しかしこのような社会問題は、いかんせん物が相手でないだけに、高度な近代技術をもってしても、それだけではどうにもならない難問題なのである。

サンタ・マルゲリータ広場の調査の一年後、再びこの地を訪ねた私は、その変わりように驚かされた。一四軒の居酒屋、バール、カフェ、レストランのうち、実に三軒までが装いを一新して

＊　アドリア海からラグーナへの三箇所の入り口で、危険時には可動式の水門を閉めてヴェネツィアを高潮から守る「モーゼ計画」の構想が一九八〇年代初めに生まれ、研究・実験を重ね、一九九二年にその建設事業計画が正式に発表された。賛否両論の議論が続くなか、二〇〇三年に始まった工事は、コスト上昇や汚職のスキャンダルで遅延するという紆余曲折を経ながらもついに完成し、二〇二〇年一〇月三日の海面上昇時のテストで、三箇所、合計七八枚の可動式壁を初めて稼働させ、高潮を防ぐ効果を証明した。

いたのである。大衆レストランが中華料理店に、若者好みのバールがピッツァ店に、居酒屋が小綺麗なレストランに、いずれも観光を目当てに変貌したのである。愛嬌を振りまいていた店の主人やおかみさんの見慣れた顔も、そこにはもうなかった。繁華な町の中心からややはずれたこの広場は、観光に毒されていない最もヴェネツィアらしい場所だっただけに、私には大きなショックだった。残念ながらヴェネツィアでは、快適で安い近代的アパートと工業地帯の職場に引かれて本土側へ転出する人々は若い世代を中心に後を絶たず、このままでは町を観光に身売りすることになるのでは、という危惧がいまだに拭い去れないのだ。

ヴェネツィア本来の生活文化が失われることへの愛惜は、私のひとりよがりな感傷ではない。事態の重大さに気づいた市当局も、観光をこれ以上進めることは、住宅のホテルへの改造によって住民を歴史地区から追い出すことにつながるとして、これを否定する考え方に立ち始めている。また一九七三年のヴェネツィア特別法によって援助が決まった三〇〇〇億リラ（約一〇〇〇億円）のうちの歴史地区再生のための九〇〇億リラ（約三〇〇億円）も、住民の本土への転出をくい止める手立ての一つとして、まず老朽化の著しい庶民地区から投資されることになったのである。

この対象地区である町の東端のカンポ・ルーガ地区を私は訪ねてみた。ヴェネツィアの東側の地区は、一九世紀以降、都市全体の中でも格の低い庶民住宅地区として周辺部へ追いやられてきた。町の西側が、鉄道橋、自動車橋による本土との結合、海洋ステーションの建設を契機に、近代ヴェネツィアの表玄関的役割をもつようになったため、リアルト、サン・マルコ広場から東にかけての海岸、北東の造船所に活動力が集中していた従来の都市構造が完全に逆転したのである。

観光客のまったくはいりこまないこの地区へやって来ると、サッカーボールを追う子どもたちの声が狭い広場の壁に響き渡り、居酒屋からは大人たちの声高なやりとりが道へあふれんばかりであった。しかし住民の屈託(くったく)のない表情に反して、この地区には、風呂をもたない家族や、通常は商店か倉庫にあてられる一階に住むため浸水や湿気で悩む家族が多く、生活環境の著しい悪化が見られる。住民の誰に聞いても、市当局による再生事業への着手を心持ちにしており、毎月開かれる地区の評議会には積極的に出席している、という答えが返ってきた。この評議会は、市の関係者、政党代表、労働組合、文化団体、住民から構成され、事業の基本方針、優先順位、実施方法、工事中の仮住居の保証、修復後の入居条件などについて話し合いをおこなう。現状では、老朽化した庶民地区の再生事業の運営を民間団体に委(ゆだ)ねた場合、修復後の家賃のつり上げ、現在の住人の追い出し、庶民の手に届かぬ高級住宅地区、あるいは商業地区への転化、という結果を招くのは避け難い。そこで、自治体自身が事業の直接的イニシアチブをとる方式が採用されることになった。

ヴェネツィアの島部全体は、一九七四年の詳細計画によって、古い中心部の「保存」区域と比較的新しい周辺部の「再開発」区域の二つに分けられている。保存区域では、歴史的建築遺産を修復し、新たな機能をもった建物として再生させる事業が積極的におこなわれる。再開発区域では、デザイン上古い町並みとの調和を考慮するという条件のもとで、建てこんだ歴史地区に不足している大規模な社会施設、文化施設などの建設が推進される。なかでも、他の町のようにカーセックスもオートバイの暴走も楽しむわけにいかず、どうしてもエネルギーをもてあまし気味の若者にとっても魅力ある町にするために、プール、体育館などのスポーツ施設の建設が急がれている。このようにヴェネツィアでは現在、市をあげてこれらの町づくりの課題に取り組んでいる。

さらに、水に囲われたヴェネツィアの生態学的に見た環境保全の問題も、住民の生活向上のための経済基盤整備の問題も、ヴェネツィアの歴史地区、あるいは本土側の新しいメストレの町、マルゲーラ工業地帯を見ているだけでは解決しえないことが明らかになってきた。ヴェネツィア特別法も、ラグーナを囲むすべての自治体が協力して広域計画を作成することを義務づけている。それは、自然景観の保護、大気と水の汚染からの保護に加え、ヴェネト地方の調和のとれた発展のための地域整備の具体的方策の提示を求めている。歴史的都市の抱える問題は、住宅地、生産施設、第三次産業施設、主要公共施設、鉄道、道路網などの整備を内容とする広域総合計画の作成に支えられてはじめて解決しうる、という前進した考え方がそこには見られる。

水没の危機によって呼び覚まされた文化財の保存問題をきっかけとしながら、住民生活を守ることを中心にすえた町づくりや地域整備へと視点を拡大していったヴェネツィアの軌跡は、とかく物の保存、物的な環境整備にのみ目を奪われがちな日本のわれわれにとっても、今後の都市計画を考える上で示唆するところが多い。これらの努力の集積によって、人間のための豊かな生活環境をもつヴェネツィアが、人類の英知の結晶として永遠に生き続けてほしいものである。

第四章　丘の上の真っ白な町　チステルニーノ——南イタリア

若者がおらが町の聖クイリコ祭りへ

聖クイリコの祭りをはさんだ夏の数日間は、南イタリアのプーリア地方にある小さな町チステルニーノの人たちにとって、一年で最も楽しい時である。ちょうど日本のお盆にあたり、ドイツやスイスに移住した人たち、ミラノやトリノの北の工業都市に出稼ぎに出た労働者、そしてローマやナポリで学ぶ学生たちがこの田舎町にどっと帰省し、久方ぶりの再会を喜びあう。開発から取り残された南イタリアの丘の上の町の一つ、このチステルニーノでは、日頃広場にたむろする人たちといえば、イタリア・ネオリアリズムの映画にでてきそうなハンチング帽子にだぶついた地味な背広姿の中年以上の男たちだけなのに、この時ばかりは、派手なシャツと真白なパンタロンがよく似合う若い男女が、広場にも街路にも華やかさを与えるのだ。

この年（一九七六年）は、八月五〜七日の三日間が祭りにあたっていた。城壁のすぐ外側を循環する広い道には、夜のにぎわいのために二〇メートルおきくらいに、イルミネーション用の大きなアーチがかけられ、昼間から菓子やおもちゃの出店が人気を集めていた。

呼び物の宗教行列は、夕方七時頃、町の西方のサン・クイリコ教会を出発した。この教会は、一七世紀にチステルニーノに大流行したペストを鎮めた聖クイリコを、この町の守護聖人として祭るために生まれたものである。聖クイリコの祭りもこうして始まったという。

アンナ先生たちに、この行列だけは見逃すなといわれていた私は、教会と城門との中間地点の高い所に陣取り、その到着を待った。南イタリアのカトリックの祭りのハイライトである宗教行列は厳粛そのものである。日頃ジェスチャーたっぷりに冗談をとばしてにぎやかに振るまう彼らが、白の衣に身を包み、厳かにゆっくりゆっくり前進するのである。動きのまったくない単調なこの行進は、速い生活テンポに慣らされているわれわれには、いささかじれったくなるほどである。

やっと先頭を歩く黒衣の上に白をまとった神父たちの姿が見えた。ドン・サヴェリオ神父やプンツィ神父も、いつになく神妙な顔つきだ。それに続くのは、教会活動に参加する町の代表の人たちである。白衣姿の顔なじみの連中の歩きぶりを上から観察するのはまことにおもしろい。その中の一人、グラッィア嬢の親父さんは、高みの見物中の私を見つけると、ひょうきんな彼らしく、隣を歩く小さな息子の手を握って、早く写真を撮れと気取ったポーズを作った。ふだんはちょっとがさつな測量技師のタンボリーノ氏も、今日ばかりは実に貫禄のある歩きぶりをしている。そしていよいよ背広姿の四人の男たちがかつぐ、聖母マリアに手を引かれたキリストの彫像が私の前を通過する。その後方には、一般の町の人たちが、いつ果てるともなく長い列を作ってぞろぞろと続く。信心深い老人たちに加えて、家事を終えてふだん着のまま駆けつけた子ども連れのおばさんたち、昼間近くの海で遊び疲れて戻った若者たちも参加し、老若男女入り混じったこの大集団は、古い町の外側を一周してサン・クイリコ教会へ戻る。こうして毎年おこなわれる、なんの変哲もないこの宗教的行事が、町の人たちに精神的な結びつきを想い起こさせるのだ。

祭りは夜になるとぐっと盛り上がる。食事を早めに終えた人々は、イルミネーションの鮮やかな広場や街路にあふれ、ワインを飲みながら思う存分語りあう。

九時頃になると、人々は町の中央のエマヌエル広場に集まる。お楽しみのブラスバンドによるコンサートが始まるからである。長方形広場の北側に、組立式の立派なイルミネーションの冠を戴く円形舞台が作られ、南側のバールの前にはテーブルがいくつも並び、ワインで酒盛りが始まっている。もちろん子どもたちもお相伴する。舞台に立つバンドは三日間とも入れ替えで、この周辺の町から契約を結んでやってくる。彼らはふだんは葬式のたびに駆りだされる、セミプロの音楽好きな腹の出た中年男たちである。

演奏はカルメンやアイーダといったポピュラーなオペラからの一幕が続く。広場をぎっしり埋めた町の人たちは、誰もが音楽をよく知っている。隣にいたおじさんは、田舎のブラスバンドの演奏としてはまあまあの出来映えだと思っていた私に、昨日のバンドの方がはるかに上手だったと、なかなか手厳しく批評した。日本のお盆なら盆踊りにうつつをぬかすところだが、さすがイタリア、こんな田舎町でも夏の祭りの夜をオペラの名曲の鑑賞で楽しむのである。

南イタリアとはいえ、海抜約四〇〇メートルの丘の上の町のこと、秋の訪れは早い。この年の祭りは特別に涼しいとのことだったが、セーターだけではとても演奏に聴き入ることができないほどであった。

九月の本格的な秋を迎えると、勤労者に続いて、学生たちも潮が引くようにこの町を立ち去る。また老人と子どもを中心とした、静かでちょっとばかり淋しい、ふだんの町の生活へと戻るのである。

真っ白な迷路に平衡感覚を失う

チステルニーノとのつきあいもずいぶん深いものになってしまった。イタリア留学二年目の一九七五年の春を迎える頃、私は居心地のいいヴェネツィアから腰を上げ、教授や卒論に取り組む学生について、イタリアの他の町をも本格的にまわり始めようとしていた。中世以来の都市国家の伝統をいまだに持ち続けるこの国では、ジーパンに髭面の学生連中も、なにかといっては帰省して故郷の優しい空気に浸ろうとするし、卒論の対象にも、自分の帰属する町や地域を好んで取り上げるのだ。私は特に、最もイタリアらしく、それでいてわれわれにはなじみの薄い南イタリアへ行く機会を多くもった。まず、長靴形のイタリアの踵のあたりに位置するプーリア地方のマルティナ・フランカを訪ねた。自治体主催のこの町の「保存と開発」に関するシンポジウムに、調査研究を委託されたヴェネツィア建築大学のミオーニ教授と彼の学生たちとともに参加したのである。

政治好きな市民は最後まで席を立たず、自分たちの町、地域の問題を真剣に見直そうとしていた。その晩、私と友人のダンテは、昼間の地元の人々と専門家との間の白熱した議論に興奮気味でなかなか寝つけず、ワインを飲みながら語り明かしてしまった。

そしてその翌日、人の勧めにしたがって、すぐ隣町のチステルニーノを訪ねた私は、その輝く美しさ、変化に富む都市空間の面白さの虜になってしまった、というわけだ。

それ以来、ヴェネツィアからはるばる一〇〇〇キロ以上の道程を一ヵ月おきくらいのペースで四回も調査に南下することにあいなった。さらに、ユネスコのローマ・センター（文化財の保存修復研修所）で学ぶためローマに居を移した翌一九七六年にも二回この地を踏み、合計すると四〇日ほど滞在したことになる。人口が旧市街に三〇〇〇人、周辺農村部を含めた全市域で一万人ちょっとの小規模なこの町は、建築と生活を観察しながらイタリアの都市の全体像をつかまえたい、という私の前々からの願望をかなえるにふさわしいものだったのである。

そもそも、町へたどりつくまでのアプローチがなかなかいい。アドリア海沿いの大都市バーリでローマからの夜行列車を降り、ローカル鉄道に乗り換えてのんびり小一時間行くと、田園の中にぽつんとあるチステルニーノの駅に着く。

ゆるやかに起伏する赤土の畑の中には、トゥルッリと呼ばれるこの地方特有の円錐（えんすい）形ドームを戴く白壁の農家、芸術的なフォルムをもつオリーブの老木、そして愛らしいサボテンのような多肉植物が点在し、それらが真っ青な南イタリアの空の下で、爽快なパノラマを構成している。静かな田舎道を曲がりながらしばらく登っていくと、真っ白な建物がぎっしり並ぶチステルニーノの町に着く。この地方独特の建築要素であるアーチや外階段が、強い日射しの下で影を落とし、強烈な明暗のコントラストを作りだす。建築がこれほど立体的、造形的に見えることも珍しい。町全体が一つの芸術作品であるために、モニュメントとしての建築は必ずしも必要ではない、ということをみごとに示している。なんでもない民家の集合の仕方自体がまことに造形的で面白いのだ。そして真っ白な外階段をバケツを持ってゆっくり上る、黒いセーターに黒いスカートのでっぷりした女たち、道端で二、三人かたまって立ち話にふける、一様に古い帽子をかぶった男たち……。いずれをとっても、町を包むすべてのものが絵画的かつ演劇的なのである。

城門をくぐって旧街区へ入ってみると、感覚の平衡をまったく失ってしまう。そこは雪の造形の内部空間にさ迷い込んだかのように真っ白な世界で、狭い道の上だけが真っ青な空へと抜けていく。ゆるやかにカーブしたり折れ曲がったりする細い道の両側には、外階段が二階へ、さらに三階へと上昇し、大きなアーチをもつバルコニーに持ち送りによって公道に飛び出している。路上に椅子を出して語り合う老女たちの姿は、この空間の点景人物としていかにも似つかわしい。

チステルニーノの町並み。外階段やバルコニーのある真っ白な建物がぎっしり詰まった迷宮空間は、平衡感覚を失わせる

突然真っ白な迷路の中から、さまざまな彩りのセーターの子どもたちが現われ、歓声をあげながら私に走り寄ってくる。もうすっかり顔なじみになった私に、また写真のおねだりである。

彼らをなんとか振り切って、ともかくまず町の真ん中のエマヌエル広場に店を構える床屋のグレコ氏に挨拶に行かねばならない。こういう狭い町では、私が戻ってきたことはすぐ知れてしまうから、世話になっている人たちへの挨拶まわりを怠ると、気まずいことにもなりかねない。

それにしても、私は最初から幸運であった。初めての訪問ですっかり町が気に入り、立ち去るに忍びなくなった私は、その晩、町はずれのホテルに泊まることにした。夏季の三ヵ月間だけ開くペンションを除けば、この町唯一の宿泊施設なのである。そこにはシーズンオフで暇そうにしている宿の息子のジュゼッペ君がいた。一緒に話し込んでいるうちに、彼はこの町の歴史的、建築的調査をしたいと思い始めた私の気持ちを理解し、協力してくれそうな町の名士たちのところへ、その晩さっそく連れて行ってくれたのである。

もちろんこの床屋のグレコ氏が最初であった。町の商工会議所の顔役でこの地方の競輪振興会のリーダーでもある彼は、この地をたまに訪れる外国人にたいしてもまことに親切であった。そしてまったく偶然なことに、私が日頃お世話になっていた東大の芦原義信(あしはらよしのぶ)教授が以前にこの町を訪ね、グレコ氏と友情を結んでおられたために、話は信じられぬほどうまく運んだ。次に、城門のすぐ外側の道に面してオフィスを構える測量技師タンボリーノ氏を訪ねた。彼は、改築や土地の遺産相続の件で夜遅くまで相談に押しかけ順番を待つこの町や周辺の農村の人たちに優先して、私の調査に惜しみなく協力してくれた。そして町並み調査に欠かせない町の一〇〇〇分の一の詳しい地図などを譲ってくれたのである。

郷土史家であり小学校の教諭であるプンツィ先生にも翌日会うことができ、以来先生は私の顧問になってくれた。一〇年ほど前に新市街のアパートへ居を移した彼の書斎は、歴史、考古学の本でぎっしりつまっていた。さらに、彼の同僚でやはり歴史に関心をもつ中年女性アンナ先生も、私の協力者に加わってくれた。このような親切な町の名士たちとのめぐりあいによって、私の調査はスタートから好調に進んだ。

雨水井戸のある石造りの家

私の関心は、まずこの石造りの家の内部の構成を調べ、彼らの生活の様子を知ることにあった。しかし、田舎町の人々が見慣れぬ日本人にそう簡単に自分の内側をさらけだそうとしないのは当然である。玄関の扉のカーテンの陰から眼だけ恐る恐る出して、台所の母親を「ママ、チネーゼ(中国人)！」と呼ぶ女の子……。カメラを構えると窓辺からすっと姿を消す老女……。特に発展から取り残された南イタリアの歴史地区は住環境が悪化し、スラム化している場合も多く、そんなところでは建築の空間が面白いからということで、彼らの日常生活の場に踏み込んでいくことに心の痛みすら感じてしまうものだ。

幸いチステルニーノの古い町は清潔で、人々の生活にもゆとりが感じられ、よそ者の私にも入っていくのに躊躇(ちゅうちょ)はいらなかった。それでもまず最初に、町の名士である床屋のグレコ氏やアンナ先生に付き添ってもらい挨拶まわりをすることが鉄則であった。ひとたびある種の信頼関係が

素朴な中世の交差ヴォールトが架かった1階の住居。
手前が多目的な広間で奥が寝室。いつも綺麗にしている

できれば、おせっかいなほどに人好きな彼らは、親切に協力してくれるのだった。間取りを調べる以上、寝室も含めたすべての部屋を見る必要があったのだが、便所の中まで遠慮なくのぞいてくれと言いながら扉を開けて、おじおじしている私を促すおやじさんもいた。また、隣の家を見たのにどうして自分のところは抜かすのだ、というお婆さんもでてくる始末であった。

この町の住居のつくりは、さながら中世そのものという感じで、部屋数は少なく、ぎりぎりの生活を送っていたようである。基本的な住居構成は、玄関を入ったところに居間、食堂、台所を兼ねる広間があり、その奥が寝室になっているという単純なものである。住戸が二階、三階にある場合には、アプローチはふつう外階段でとられる。部屋数が少ないため、寝室のヴォールト(曲面)天井の下に床を設け、その上の空間を物置や子ども部屋として使う工夫がよく見られる。上り下りには木

の梯子(はしご)を掛ける。家が狭い上にどの家族も子沢山だから、昔は大家族が折り重なるように寝ていたという。カーテンで仕切って辛うじて夫婦のプライバシーを保っていたというような話も聞かされる。現在では若夫婦は城壁の外の新しいアパートへ出ていく場合が多く、旧市街の人口密度はだいぶ少なくなった。古い地区に住み続ける人々の生活は必ずしも楽ではないが、家の隅々まで掃除が行き届き、突然の私の訪問にも、さあ見てくれというところが多かった。

この町では、地元産の石灰岩の切石をモルタルを使って積み上げ、どっしりした民家を造るため、壁厚は平均五〇センチに及ぶ。そこには大きな窓はとれない。その代わり家の内部にまで外側と同様白石灰を塗ることによって、非常に明るく清潔な雰囲気を保っている。強い日射しが家に入るのを嫌う彼らにとって、窓が少ないことはむしろ具合がよい。しかも、厚い壁をもち頑強に外との関係を断った建築空間は、冬暖かく夏涼しいため、実にしのぎやすいのだ。洋の東西を問わず民家を見る楽しみは、このように気候風土、建築材料などの条件に応じて、住みやすい環境を獲得するために考案された、さまざまな工夫を観察することにある。

この町の住宅に見られる工夫で一番感心させられるのは、貯水槽の装置である。屋根に落ちた雨水は傾斜や溝を使ってうまく一ヵ所へ誘導され、壁の中に埋め込まれた垂直のパイプによって地下の水槽へためこまれる。それを各階の住戸がそれぞれ汲み上げ口をもっていて、ロープとバケツで水を汲み上げるのである。現在では各戸に水道が引かれているが、いまだにこの天水を好んで使う人もいる。もともとは雨水が汚れては困るので、傾斜のついた屋根の上へはめったに上らなかったが、水道が引かれてからは、屋上を積極的に利用するため、軽いがらくた材を詰めて屋根を平らに改造したところが増えている。今ではどこの家でも最上階の屋根に穴を開け、木の梯子を掛けて屋上へ出られるようになっている。私も、この複雑な町の構成を理解するために、事あるごとに狭い穴を抜けて、屋上に立たせてもらうことにしていた。

石造りのこのような家の内部は、機能的だが実にあっけらかんとしている。しかしそこには、都市の中に部屋を確保するために石を積み上げて屋根をかけるんだという、建築という行為の原初的形態が見てとれる。とりわけ中世初期のものは、その造るという行為自体が何にも粉飾されずに、材質や形を通してそのまま表へあらわれた迫力がある。構造技術がいまだプリミティブな段階の住居に入ると、厚い壁の低いところから立ち上がるアーチによって形づくられる重々しいヴォールト、切石を積んだ上に何重にも塗り重ねられた石灰のためにうねる壁面、そして道路や

石造り住宅内部。世界有数の石の建築文化を誇る南イタリアのプーリア地方だけに、どんな住宅も立派な石のヴォールト(曲面)天井をもつ

広場と同じ石灰岩の切石板による床が構成する内部の空間は、外の空間と同様に造形的である。

そもそも都市の内部は、すべて石によって囲まれた、自然の要素をまったくもたない人工環境であり、ここには外部空間にも住宅の内部空間にも本質的な違いがない。町中舗装してあり家の床も汚れるわけではないから、部屋の内部で靴を脱がないのは自然であるし、逆に外部空間に屋根をかければ、そこは一種の広い廊下や広間に転換しそうですらある。

それにしてもヴォールトをかける術は巧みである。部屋の形状に応じてさまざまなデザインをとるし、同じプランでも二階と三階では建築時期が異なるから、やはりヴォールトにも違いが見られることが多い。そのバラエティの豊かさを見ると、地元の石工が楽しみながら自在にヴォールトをかけたと思いたくなるほどである。

時代が下ると、住居の事情はやや変わってくる。中世的な無名の造形の中にもやはり、構造技術の進歩に支えられ、ルネサンス的秩序感と生活の向上に見合った住居の構成がはいりこむ。中世には眼の高さより下から重々しく立ち上がっていたヴォールトが、少しずつ平らに軽くかけられるようになり、室内空間が箱形に近い広々としたものになる。また石の繊細な扱いが可能となって、ヴォールトの立ち上がり部分に小さな連続アーチを並べるなど、装飾性に富んだものとなる。その内装を滑らかに仕上げる左官職人の技はみごとである。白ばかりか淡黄、黄緑などの顔料を混合した漆喰（しっくい）壁が、住まいの落ち着いた雰囲気を作りだし、時には天井にフレスコ画で風景が華やかに描かれたりもする。

近隣の住人を守る迷宮の「袋小路（ふくろこうじ）」

チステルニーノの町の人々を観察すると、彼らの生活は狭い住居の中では完結しないことがわかる。この町の住居は裏に庭をもたずそのまま反対側の住居と背を接し、しかも側面では隣とこれまた厚い壁を共有している。結局外部との接触は、道に面した狭い間口のところにとられるだけである。したがって、そこを通しての各住居の道への依存度は著しく大きくなるのである。

チステルニーノの石を積み上げてどっしりと築く住居にとっては、家の内部に階段を挿入するよりも、建築プランと関係なく、自由に外階段を設ける方が好まれた。そしてこの外階段は、街路空間に変化とアクセントを与えるばかりか、機能的にもまことに都合がよい。その踊り場はバルコニーとしての役割をもつし、同時にそれを支えるアーチは、下の階の家にとっての立派な玄関を作りだすわけだ。こうして建築と都市環境が渾然一体となる。さらに、膨れたり縮んだりしながらゆるやかに曲がる不規則な形の道は、人々に居心地のいい溜（たま）り場を提供する。椅子を持ちだして、生活時間の大半を戸外で過ごす人たちが多い。彼らは季節によって、日向あるいは日陰を求めて、太陽の移動に合わせて椅子を動かすのである。

このように戸外の空間を豊かに使うのは、特に道からすこしはいりこんだ袋小路のところである。一般の人がはいりこまず、それを取り囲む数家族だけの半私的な落ちついた空間として使えるからである。この町では、それぞれの階段が、住居の都市内における立地条件を雄弁に物語っている。

すなわち、人の行き来の多い主要な道に面する住居の場合、外階段を往来に張り出すことがで

◀外階段が立ち上がる変化に富んだ街路の景観。

▶近隣の人たちの戸外サロンになる袋小路。外部の人間には心理的に入りにくい袋小路は、近隣の人たちにとって居心地のよい共有の戸外サロンとなる。外階段が多く立ち上がり、演劇的な効果のある面白い空間が生まれている

▼エレナ王女通りの奥の袋小路2階平面図。どの住宅も3面を壁で囲われた穴蔵的な空間なので、人々の生活は自ずと袋小路の戸外にまであふれだし、近隣のつきあいが生まれる

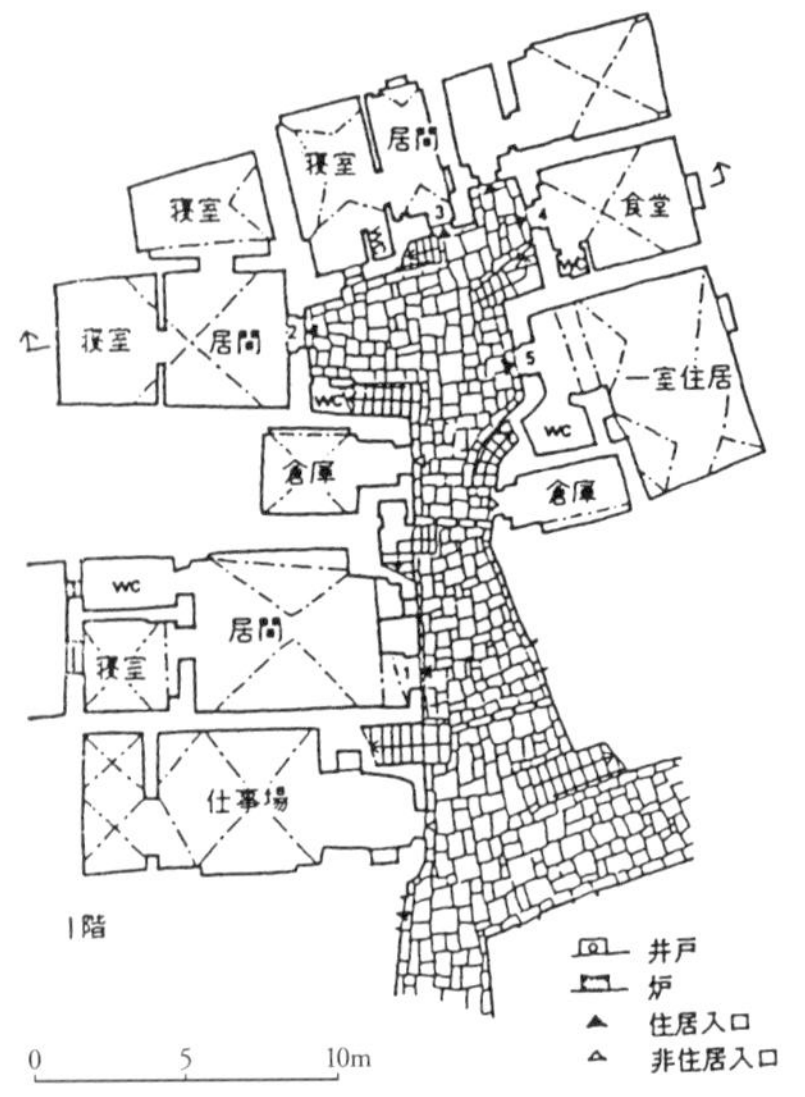

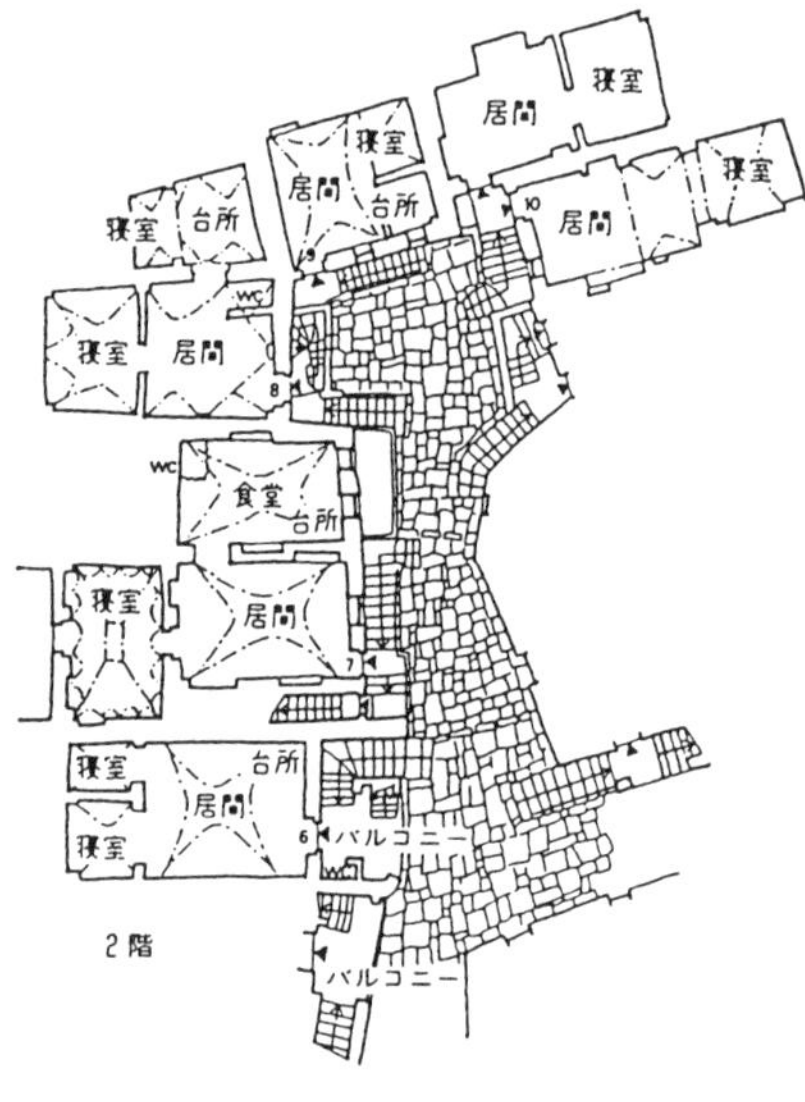

きないので、壁面の内側に組み込まれた大きなアーチのあるバルコニーつきの半外階段や、玄関を入るとすぐ二階へ上り始める内階段をもつ、という具合である。もちろんこの場合、前者の方が住居としての格が高い。バルコニーには、植木が並び、くつろぎのための私的スペースとして使われるのである。

本来ならば、この町の住居の基本形とその集合形式をおさえ建築類型学（ティポロジア）に基づく研究を進めるためには、最も単純な地区から手をつけるべきなのであるが、調べてみたいという欲望をそそるのは、どうしても袋小路状の場所になってしまう。人々がまるで屋根のない共同の広間のように椅子を出し、語らいあっている光景は、建築と人との交歓の最高の状態をさし示しているように映るからである。

特にエレナ王女通りから入った袋小路は、実に感動的空間である。ゆるやかな坂を二段ほどステップで下っていくと、道は一度絞られたのち、また奥で不整形にぐっと広がり、そこで行き止まりになる。その小広場からは、四つの外階段が立ち上がっている。中でも左側のそれは、途中折り返し、三階まで上りつめる壮麗なものである。ここを取り巻いて住む人たちは、日常親しくつきあい、互いの家を自由に行き来していることさえある。私はここでも、空家を除いてほぼ全戸の内部を実測し、平面図、立面図、断面図を作成した。

ときには誕生パーティーに招かれる

一軒一軒訪ねて調査をしていると、いろいろと思いがけないことが待ち受けている。右奥の家を見せてもらったところ、出てきたのはグラッツィアという眼の大きい若い娘だった。この家族は一階の一部屋を台所兼食堂にあて、外階段を上った二階に居間と寝室をもつというおもしろい使い方をしていた。おしゃべりをしながら調べているうちに、今晩ここで自分の誕生パーティーをやるからぜひ来てくれ、と彼女から招待されることにあいなった。こうしてその晩八時頃、城門を入り、星空の下で街灯にほんのり照らし出された薄白の幻想的世界の中を、迷路をたどって昼間の調査地に再び戻った。

パーティー会場は例の一階の食堂であった。そこに親戚や友人たちが続々とつめかけ、約三・五メートル×四・五メートルのこの部屋に三〇人以上がごった返すことになった。まずシャンペンで乾杯し、祝福の歌が大合唱された。昼間のうちにグラッツィアと母親が準備した、しゃれたつまみや菓子の皿がいくつも回された。佳境に入ると、いよいよダンスが始まった。なにしろがっしりしたヴォールト(曲面)天井をもつ石造りの穴蔵であるから、音響効果がものすごく、どんなディスコテークも顔負けの熱狂的空間に早変わりする。老人たちは壁沿いに坐って、若者たちのゴーゴーやジルバをけっこう楽しそうに見守っている。ブルースやワルツになると、中年の夫婦たちも仲睦まじいところを見せる。たまにはプーリア地方のローカル色豊かなワルツがかかり、本日の主役のグラッツィアと彼女のフィアンセのマリオが軽快な踊りを披露し、拍手喝采を浴びた。私も昼の疲れを忘れて、ハイティーンの女の子たちを相手に遅くまで踊りまくった。こんなに狭い石造りの穴蔵でのこの晩の熱狂は、南イタリアならではの忘れえぬ思い出である。

チステルニーノのような自然形成的な集落の民家調査は非常にやっかいである。どの建物にしても周囲の物と絡み合いながら形成されているため、四角い規則的な形の部屋はまずないと考えてよい。部屋の形と向きがまちまちだから、その間取りを方眼紙にきちっと載せて書いていくことなどまったくありえない。それに重いヴォールトを支えるために壁の厚さが六〇センチに及ぶものもあり、部屋相互の関係あるいは隣との関係は実にわかりにくい。隣との間の壁厚は、穴でも開けない限り測りようがないのである。

しかも、何世紀もの間に増殖を重ねてきていることが、事情をさらに複雑にしている。チステルニーノの集落が形成された最初の段階では、住居は平屋であったと思われる。それが町としての体裁をとってくると、内部に階段を挿入するのに比べ技術的に容易な外階段を表側につけたして、二階、さらに三階を増築していった。それゆえ、上下の関係がこれまた一度に設計されたものとは違ってつかみにくい。まさに南イタリアの石造建築ならではの面白さである。この町では、日本の民家調査式の詳細な図面をとろうという野心はもたない方がよい。日本のきめの細かい民家とは、しょせん作られ方が違っていたからである。そんなわけでやはりここでも、ヴェネツィアで私が学んでいた、建築を類型化してとらえ、それが都市組織をつくり上げている構造を解析する建築類型学（ティポロジア）の方法がおおいに生かされた。

隣との関係に見当をつけるのには、まず家の人に尋ねてみるに限る。「この裏は隣の寝室にあたるのですか」という具合に。また寸法を測るのも一人ではできないから、いつも子どもや奥さんの手を借りることになる。そしてそこからすぐに会話が始まる。「古い家でむさ苦しくて」と切り出す彼らに、「建築的にも本当に素晴らしい芸術品ですよ」と答えると、今度はわが意を得たりと、自分の家の自慢を始めたりする。

世界中どこへ行っても、客人に対して喉を潤すなんらかの飲み物を出す習慣があるというのも面白い。さしずめ日本ならお茶であろうが、南イタリアの場合、ウィスキー、ブランデー、あるいはアマーロという濃茶色のややにがい酒を勧められる。コーヒーやワインではあまりに日常的すぎて、歓待の意が十分に伝わらないのであろうか。しかし度数の強いアルコールを、昼間から一軒一軒で頂戴していては、いくらなんでも仕事にならない。とはいえ隣で戴いてきましたからとも言えないので、まだ仕事中ですからと言って断わるのだが、たいていの場合、一杯は義務として飲み干すことになる。

常に人と対面する生き方に暗黙のルール

チステルニーノを隈なく調べていると、イタリアの町とはなにかを考えさせられる。まずこの町には、土とか草木などの自然の要素は一切ない。町のすべてが石造りの人工的環境で、家の中にまで道と同じ舗装がはいりこみ、裏庭もないのである。プライバシーのある寝室を確保しようとはするが、日本的な感覚でのくつろぎの場、あるいは静寂を求めて個人の逃避できる場はどこにも見当たらない。常に人と対面し、ある種のコミュニケーションの関係に自分を置いておかねばならない。いやが応でも、生き方が社会化しているのだ。また貴族の家の私設礼拝堂を除けば、一般の場合、祭壇のような宗教的場所は各住居の中にはない。毎日教会堂へミサに出掛けるからである。そして、のれんやくぐり戸で空間を仕切り意味性を与えるというような、空間に対するデリカシーもまったく発達しなかった。ただただ堅固で造形的な空間が造られたのであり、それは非常に物理的な存在なのである。造形的で変化に富み、全体が一つの芸術作品のようなこの町は、たまに訪れるには感動を与えてくれるが、人と空間にたいして比較的淡泊なわれわれ日本人には、長く住むのは耐え難いのではないか、とも思う。

この小都市の場合、生き方が社会化しているとは言ったものの、そこには暗黙のルールがありそうだ。小さな古い町中に住む三〇〇〇人の人々は、戸外で過ごすことが多いから、街路や広場で住民の多くと、日に何回となく顔を合わせるはずである。しかしそのたびに挨拶を交わし話し込んでいては、いくらなんでも身がもたない。したがって、適当な範囲でのつきあいグループというものが、自ずと形成されることになる。あとは十分噂(うわさ)で知っている相手であっても、何くわぬ顔で挨拶なしでやりすごすのである。よそ者の私は、そういった暗黙の了解と無関係に個人で歩き、人々と接するから、知人と一緒に歩いていても、むしろ私の方が人々と挨拶を交わし、話し込む回数が多くなる、という奇妙なことになってしまう。

また、こんなに狭い町なのだから、人々が隅々まで知っているかというと、そうでもない。彼らは常に同じ限られた道を歩き、限られた人間関係の中で生きてきたのである。

主婦たちの生活に合わせる調査

調査を円滑に進めるためには、主婦たちの一日の生活の仕方に精通しなければならない。訪問するタイミングが重要なのである。

この町の主婦たちは亭主を送り出した後、八時から一〇時頃まで、徹底して家の内外の掃除にいそしむ。まずベッドの毛布を整えカバーを掛ける仕事と、床を磨き上げる仕事は毎日欠かせない。次に自分の家の顔である玄関、ベランダ、外階段、そしてさらに舗道の清掃に余念がない。汚れやすい階段の白い石灰を刷毛(はけ)で塗り直す女性の姿もしばしば見受ける。もちろん壁の広い面に関しては、素人では手におえないから、少なくとも年に二回、定期的に専門職人に頼む。彼らは長い竿(さお)の先に刷毛をつけた道具で、高いところも塗り直す。この塗りかえ義務を怠った住民は罰金を取られるという市の条例があるのだ。

主婦の仕事が一段落する一〇時頃からが、私の本格的な仕事となる。それまでは、外観のスケッチや写真撮影にあてる。そして時計が一二時をまわる頃には、スパゲッティや肉の強烈なにおいが各家からいっせいに流れ出てくる。家族そろっての食事を楽しみとする南イタリアでは、その時間はどこも実にきちっとしているのだ。それとともに、私も城門を出てなじみの食堂へと向かう。

それから三時を過ぎる頃までは、広場にも道にも人影はまったく見当たらない。ゆっくり昼食をとったのち、少なくとも一時間は昼寝にあてられるからである。町全体が一つの生活時間にしたがって、同じリズムで動いていることを痛感する。この時間に町中をうろちょろしても調査にならないから、私の方もこの食堂でワインを飲みながらのんびり過ごす。この店でうれしいのは、おかみさんが田舎の家庭料理を出してくれることである。プーリア地方独特の小さな耳の形をしたオレキエッテと呼ぶパスタの類、サルシッチャと呼ぶ腸詰めなど、素朴でおいしい料理が多い。

ここでも話し好きな他の客と、すぐにやりとりが始まってしまう。観光客よりもむしろ行商でこの町に立ち寄る人たちをよく見受ける。ある時、チステルニーノから八〇キロ東へ離れた海沿いの大都市バーリから来ていた土木技師と、どちらからともなく話が始まった。都市計画から政治の話に及んだのち、彼は、実は今この町の近くの田舎に買った古いトゥルッリ民家を改造して別荘にしようと考えている、と持ちかけてきた。お前は建築家だからぜひ手伝ってくれというわけだ。

近頃では、古い農家のトゥルッリを買い取って、夏のヴァカンスをそこでのんびり過ごそうという都会の人々が増えている。海沿いに近代になって発展した大都市が夏は暑いのに比べて、海抜四〇〇メートルほどの丘の上に位置する内部の古い町はずいぶん涼しいからである。農家ばかりか、町中の家を買って、夏の間やってくるミラノやローマの人たちさえ現われ始めた。一つの古い文化財の再利用の仕方になりつつあるのだ。

この技師の場合、文化財としても価値のあるトゥルッリを生かして、その内部を居間と応接間に改造し、その横に連絡用の穴を開けて、寝室、台所、バスルームを新しい建物で増築しようという構想をもっていた。私は彼の手を借りながら、オリーブの木が立ち並ぶなだらかな斜面にある古い形式のトゥルッリを実測した。そしてその晩は、宿で設計図を書くことにあいなった。

町並みの調査にとって午後は稼ぎ時とあって、日が落ちて薄暗くなるまで動き回る。しかも半分は人々とのやりとりに費やされるから、ぐったり疲れてしまう。だが、宿に戻ってのんびり休み、少しは昼の調査の整理でもしようかという私の心づもりは、いつも裏切られる。

城壁外の高台にある開放的な松林（ピネタ）の広場。
市民、若者の交流の場

まず、仕事を終えて仲間とワインで梯子をしている上機嫌のおっさんたちに腕を抱えられ、居酒屋に引っぱり込まれてしまう。そして立ち飲みで二杯、三杯とつきあってしまうと、調査の整理を忘れて今晩も楽しくやろうか、ということになってしまう。

この頃、町の若い連中は、城壁の外のピネタ（松林）の広場に集合している。眼下に広がるイトリア平原の向こうには、隣町マルティナ・フランカの灯が見え、広場の隅にあるバールのジュークボックスからはヒット中のカンツォーネが流れてくる。ここは若者にとっては恰好の開放的な広場なのだ。町ばかりか周辺の田舎からも車やバイクでハイティーンの若者たちが集まってくる。幸か不幸か私も若く見えるらしく、自分たちの仲間として扱ってくれる。スクーターの後ろにしがみついて、城壁の外のリンク道路を夜風を切って走り回ってみたり、町に一軒だけある映画館につきあったり、ある時にはゴーゴーパーティーに駆り出される始末である。こうして、あまり疲れの取れぬまま翌朝を迎えてしまうのだ。

町の人たちが語る町の歴史

この町の人たちも、自分の町の歴史について語るのが好きである。広場で立ち止まりながら、あるいは居酒屋でワインのグラスを手にしながら、いろいろなことを私に説明してくれる。しかし民間伝承的なものが多いから、半分は疑ってかからねばならないのだが。

その一つは、この町の起源に関するものである。中年以上の人たちに聞くと、たいてい次のように答える。この地には古くから豊かに水を供給する大きな貯水槽があって、それを中心として町が形成された。だから「チステルニーノ」の名前は、イタリア語で貯水槽をさす「チステルナ」の言葉に由来しているのだと。

しかし、真実はそうではなさそうだ。この町の郷土史家の双璧（そうへき）、プンツィ先生にしてもドン・サヴェリオ神父にしても、次のようなまったく違う見解をとる。この地方がローマの植民地となった頃、ストゥルニウム（Sturnium）という名の町ができた。それがゴート人に破壊されたのち、八世紀に、偶像破壊者たちの狂暴から逃れてやってきたビザンティンの修道士たちは、現在のチステルニーノの地に避難所を見いだし、ここにサン・ニコロ・ディ・パタラ修道院を建設した。そしてこの周辺に農民、牧夫、職人、商人たちが集まり、以来ここは、破壊されたストゥルニウム（Sturnium）の向こうに（cis）できた町、すなわちCis-sturniumと呼ばれ、それが変じてCisterninoになったというのである。

現在のマトリーチェ教会堂は、道から階段で上った高い位置にあり、プーリア・ロマネスク様

バロックのサン・カタルド教会
タンボリーノ氏事務所
デ・ヴィート・フランチェスキ家
ポルタ・ピッコラ
礼拝堂
統治官の館
定期市の広場
サンタ・ルチア通り
バール
ソレーティ家
ソレーティ家
居酒屋
グレコ氏の床屋
エマヌエル広場
通り
バール
居酒屋
ボルゴ地区
古い教会
塔
新しい教会
市庁舎・駅

チステルニーノ中心部の地図
サン・クイリコ教会
ピネタの広場
デ・グラヴィネーゼ家
袋小路調査地
グラツィアの
エレナ王女通り
アマーティ家
塔
プンツィ家
居酒
司教館
ポルタ・グランデ
マトリーチ
教会
崖
城壁外の公園
崖
低　地
城壁の外観の残存部
城壁の復元線
従来の城門
近代に開かれた入口
17〜18世紀拡張部
19〜20世紀拡張部
0
25
50m

式の美しい内部空間をもつが、その下の階には、それ以前の一〇世紀前後のものと思える古い礼拝堂がある。そして近年、その右奥の単純な円筒ヴォールトのかかった縦長の部屋を調べたところ、たくさんの白骨が発見されたという。アンナ先生の案内で、その入口の扉を開けてみたところ、いまだに異様な臭気が鼻をつくのであった。ここがおそらく最初の教会堂にあたり、新たな教会堂の建設とともに、墓場に転じたのであろうと想像される。

一二世紀以降の歴史は幸いはっきりしている。まずビザンティンの修道士たちがこの町を捨てたのち、法王アレッサンドロ三世は、近くの町、モノポリの司教ステファノがチステルニーノ全体を所有することを認めた。一四世紀には、タラントの王子フィリッポ・ダンジョーの庇護（ひご）のもとに、町の体裁をとり、自治都市になった。しかし基本的には、モノポリの司教の封建的支配下にあった。司教は夏の六ヵ月間、この町のマトリーチェ教会前の司教館に滞在し、冬の六ヵ月間はモノポリに戻ったという。

何回かの城壁の拡大がおこなわれたが、一五世紀には最終的な町の構造がすでに完成していたと思われる。それは、マトリーチェ教会と司教館の前のポルタ・グランデ（大きな門）、そして反対側の統治官の館の前のポルタ・ピッコラ（小さな門）の二ヵ所のみで外界とつながる、というものだった。この二つの門は、日暮れとともに人々が城郭の中に戻り終えると、外敵から町を守るために翌朝まで閉じられた。

しかし一七世紀初めになると、封建的統治は続くものの、戦乱が鎮まり、城壁の役割は小さくなった。こうして、町の南東部で城壁の外への拡大が見られた。ボルゴと呼ばれるその地区には、直線道路に沿ってバロック様式の典雅な住宅もいくつか建設された。

町の中でも当然社会構成上の変化が起こった。町の狭苦しい内側に比べ、城壁に沿う帯状の部分が、住居を構える上ですぐれた立地条件をもつようになったのである。城壁の外の空地を私的な庭として広々と使えたし、内部の迷路を通らずとも、馬車で直接町の外へ出て行くことができたからである。そのため多くの貴族が、城壁沿いの中世的な小規模住居をいくつか併合し、大規模なパラッツォに改造して移り住んだ。今日まで伝わる代表的貴族の館は、いずれもこうして生まれたものである。

今日に伝わる貴族のうち最も古いのは、一六世紀中頃からこの町に続くアマーティ家とソレーティ家である。アンナ先生の家系のデ・ヴィート・フランチェスキ家は、それらに次いで古い。彼女の兄のロレンツォ氏が、自分で長年かけて調べ作成した家系図を見せてくれた。

それによれば、この家の初代はナポリに一一八五年に生まれている。一五〇〇年頃にプーリア地方の小都市に移り、医者であったミケーレ・デ・ヴィート・フランチェスキが、このチステルニーノへ初めてやってきたのは一六九八年のことである。その後代々、医者、教師、主任司祭、公証人、弁護士など有能な人材を輩出し、この町で一、二を争う名門となった。しかし、デ・ヴィート・フランチェスキ家も他の例に漏れず、近代になって没落の道を歩むことになった。アンナ先生が生まれ育った城壁沿いのこの家族の館も、今ではカトリックの寄宿制女子中学校に変わってしまっている。

町＋田園が領域の自治体「コムーネ」

イタリアの都市の全体像は、都市の伝統が育たなかった日本のわれわれには、なかなかイメージしにくいものである。チステルニーノくらいの小規模な町は、それを知るのにいいモデルと言えよう。特に都市と農村の関係には興味を引かれる。

まず丘の小高いところに、人々がチェントロ（センター）と呼ぶ町がある。その中心部が、城壁に囲われた旧街区である。城壁の外側の部分は、ボルゴという東側の一七世紀にすでに形成された一角を除けば、いずれも一九世紀以降にできた新市街地である。

新しい都市機能は、市役所、病院、学校等すべて新市街にあり、事実上町の活動力は今では旧街区の外へ移っている。新しい形式の快適なアパートを求めて、町のインテリ、若い世代は旧街区を抜け出た。手狭な旧街区は、今日老人や庶民のための住宅と商店及び職人の仕事場として生き延びている。しかし、地理的には町の中心を占めるし、教会をもつこともあって、彼らの精神的中心であることには変わりはない。外に住む人たちも、この旧街区のにぎわいに引きつけられ、日に何回となく城門をくぐ鋤って中心の広場へやってくる。広場や主要道路に面して何軒も並ぶ床屋は町の顔役であり、人々の集まる場所となる。また居酒屋の分布を見ても、城壁の中に四軒あるのにたいし、新市街にはほとんど皆無である。しかし逆に若向けのカフェ、バールは、城壁のすぐ外側の広い道に面して多く分布している。

このチェントロ（町）のまわりには、プーリア地方独特の田舎の風景が広がっている。風変わりなトゥルッリの民家群が、そのゆるやかに起伏する赤土の台地に無数に散在するさまは、のどかであり、かつユーモラスでもある。土地の所有境界線には、畑仕事で掘り出された石片を積んだ低い石垣がめぐらされ、起伏のある風景にめりはりを与えている。この古い町を中心に、後背地である田園を含めた五四五〇ヘクタールが、チステルニーノのコムーネ（自治体）の領域である。イタリアでは、行政上の市・町・村の区別はなく、すべてがコムーネとして歴史的時代の都市のあり方をそのまま踏襲している。

この町のまわりの市域の中には、カサリーニをはじめとするいくつかのフラツィオーネと呼ばれる小集落がある。それらはチステルニーノの町とはまったく性格を異にする。すなわち、町には石積みの二～四階の高層で集合性の高い都市住居がぎっしり詰まっているのに比べ、周辺集落には農家形式であるトゥルッリが集まって並んでいるのである。日常の買物のための商店、役場、小学校、幼稚園などはあるとはいえ、町への依存度は高い。

農民にとっての交換と消費のために生まれたこれらの集落は、城壁をもっていなかった。まったく無防備な集落があり、田園の中には無数の農家が散在している事実は、とりも直さず、この地方がスペインの支配下に入り、比較的早くから戦乱の危険が遠のいたことを示すのであろう。

私はアンナ先生やドン・サヴェリオ神父と一緒に、車でオリーブの林やブドウ畑の中に点在する数多くの農家を訪問し、ちょっとしたトゥルッリ通になった。トゥルッリの農家は、灰色の石灰岩の切石を積んで、その上に円錐状のドームをかけ、屋根の外皮をスレート状の石で葺（ふ）いたものである。モルタルを使わずに石を積み重ねるところに特色がある。

古いものほどプリミティブで鈍重だから一見して判定できる。すなわち、ドームをかけやすくするために部屋の角が丸くなっているし、ドームの円錐面がまっすぐでなく、むくりがついていて、いわゆる普通のドームにやや近い。構造技術の発達とともに、明快な形をもつおとぎの国の館のような現実離れした民家が完成したのである。

壁の厚さが一メートル近くに及ぶため、夏涼しく冬暖かい理想的な居住性を生み出す。町の住居同様、内部も白く塗り回されているため、開口部が少なくても十分に明るい。一つのドームの下には一つの部屋が対応しているから、ドームの数で部屋数がわかる。玄関を入るとまず広間があって、居間と応接間を兼ねる。その側面に台所があり、大きな煙突が立ち上がる炉が見られる。広間の反対側の側面と奥とに寝室が配置される。壁を接して隣に、家畜小屋と納屋がやはりトゥルッリ形式で並んでいる。

ある日、ドン・サヴェリオ神父とベッラマラのコントラーダ（農村を細かく分けた行政上の区画）にアスタッド家を訪ねた。庭先での農作業の手を休めて迎えてくれた主人のジュゼッペさんは七六歳、その奥さんは七八歳、いずれもかくしゃくとしているのには驚かされた。二人でこの農園を切り回しているのだ。

ジュゼッペさんはさっそく、倉庫からこもを巻いたワインの大瓶を抱えてきて、うまい酒だからと言いながら、コップになみなみとついでくれた。長年の農作業で刻みこまれた深い皺だらけの手から受け取るワインはまた格別の味である。農家での最高のもてなしは、自家製のワインを出すことである。市販されているものとはわけが違い、白ワインながら、飴色をした度数の高いこの地酒は実にこくがある。イタリアのどの地方にもおいしいワインがあるが、このプーリア地

トゥルッリの民家群。チステルニーノの周辺には、円錐形ドームをもつユーモラスな形態のトゥルッリ民家が点在し、独特の田園風景を形づくる

方も有数の生産地であり、ヨーロッパの他国へも輸出していると聞く。このジュゼッペさんは、「いつもワインがあるから、もう五〇年間も水を飲んだことがないよ」と豪語したほどである。

彼はチステルニーノの町で生まれ、二歳でこの地へ移って以来、ずっと土とともに生き、町から奥さんを迎えたという。五人の子どものうち一人が町に出たほかは、いずれも独立して農業を営む。チステルニーノの町に四軒の家をもち、その一軒を息子が使い、あとの三軒は貸家にしている。老夫婦では大きな経営はできないと言いながらも、鶏、羊を飼い、小麦に加え、オリーブ、いちじく、みかん、なしの栽培を手がけているのだから驚く。いかにも南イタリアらしい開放的なこの老夫婦との出会いは、実にすがすがしいものだった。

このトゥルッリ民家にはもちろんその周辺で農耕、牧畜を営む農民が住むのが普通であるが、町なかに住んでいる農民がここへ通い、家畜に餌をやって農耕に出掛けるというケースも少なくない。南イタリアの小さな町の場合、住民は必ずしも商人や職人などの町人とは限らない。農民が集まった集落が城壁と広場をもち、町的な容貌を示すことも多いのである。そんなところでは、早朝ロバにまたがり城門をくぐって町を出、日中は畑を耕したり羊の群をひきい、日暮れとともに町のわが家へ戻る農民の姿が見られる。チステルニーノの場合、周辺の町に比べ農民の比率が少ないとはいえ、迷路のような町の中の道を歩いていると、もともと農民が使う馬小屋として作られた納屋を数多く見つけることができる。

トゥルッリ農家での思わぬ体験

一九七六年の八月には、トゥルッリの中で数日間生活するという願ってもない経験にめぐりあえた。イタリア留学三年目のこの年には、私はヴェネツィアからローマに移り、ユネスコのもとに置かれた文化財の保存研修機関であるローマ・センターに通っていた。このセンターの友人であるホワキン君（エルサルバドル）、エリザベス嬢（ドイツ）と、彼女の運転するフォルクスワーゲンでチステルニーノの町に着いたのは、折しも聖クイリコの祭りの始まる日であった。ふだん私が世話になるペンション（下宿屋）もホテルも超満員というありさまであった。そこで困り果てたわれわれを見て、田舎のトゥルッリ探しに奔走してくれたのは、顔の広いアンナ先生である。そしてうまくアンナ・プルデンティーニ婆さんが不在地主に代わって管理している空いたトゥルッリに泊まれることになった。

それから五日間にわたるわれわれのトゥルッリ生活が始まった。宿を提供してもらう代わりにわれわれに課せられたノルマと言えば、旧街区に住み、毎朝誰かをつかまえてはこのトゥルッリへ運んでもらい、家畜に餌を与えて町に戻るという日々を送っていたアンナ婆さんに代わって、ニワトリとアヒルの世話をすることであった。このお婆さんは、われわれの出現で、ちょっとした夏休みをもつことになったのである。

オリーブ畑の間の細い道を、アンナ先生の車の先導にしたがって、雑草でどてっ腹をこすりながら、われわれのフォルクスワーゲンは田舎の奥深くはいりこみ、やっと目当てのトゥルッリに着いた。ここはもう、周囲には人家が見られないまったく孤立した世界である。ときどき静寂を破るのは、アドリア海から渡ってくる風がオリーブの梢をざわつかせる音だけである。このトゥルッリには、電気も水道もなかった。一メートルもある壁に囲われたしいんとした部屋にロウソクの灯をともし、われわれはささやかな料理を前に、この思いもよらなかった体験を記念して、ワインで乾杯した。

さそり、むかでなどの壁や床を這(は)いまわる虫を退治した効果があってぐっすり眠ってから、爽やかな朝を迎えた。顔を洗いにまずトゥルッリの横に掘られた井戸端に集まった。これは実は掘り抜き井戸ではなく、トゥルッリ屋根の上に降った雨水を巧みに傾斜をつけた溝で誘導して、地下へ流し込む貯水槽である。建築自体が、水の貴重な高台に住む人々の飲料水確保のための装置として働いているのである。民家の面白さとは、こんな工夫を随所にもつところにある。風呂に入らぬ代わりに、毎朝シャワーを浴びる習慣のあるラテンアメリカのホワキン君が、上半身裸になって体を洗う姿は、西部劇の一場面を見るようであった。トイレはもちろんないから、用足しはオリーブの木の下で、海からの風に足元を吹かれながら爽快に済ませるのであった。

次にいよいよわれわれのノルマである家畜の世話にかかった。寝室の右隣のトゥルッリの部屋が家畜小屋になっている。表側の扉を大きな鍵で開けると、待ち構えたアヒルどもが、グワッ、グワッ騒ぎながらいっせいに外へ飛び出した。井戸から運んだ水で水浴をさせ、アンナ婆さんに伝授してもらった方法にしたがって、小さく刻んだメロン、穀物を与えた。アヒルに比べ、薄暗い部屋の小さな籠の中に閉じ込められっぱなしのニワトリがちょっぴりかわいそうであった。

こんな生活を繰り返していたから、この八月上旬の調査は能率はよくなかった。そこで今回は聖クイリコの祭りに浮かれる町の人々と一緒になって楽しむことに決めた。

トゥルッリがもともと普通の農家であるのにたいし、田園のところどころにあるマッセリアは、大農経営の農場である。町に住む貴族は田舎にいくつかのマッセリアをもち、使用人を使って農業を営んだ。土地制度が変わった今もまだ、このような農場の経営形態は、規模を縮小しながらもこのプーリア地方に広く見られる。

アンナ先生の家系であるチステルニーノの名門デ・ヴィート・フランチェスキ家も、元来いくつものマッセリアを経営していたが、今では二つを残すのみである。私が案内してもらったそのうちの一つは、彼女の叔父にあたる人が、町に住んだりここに住んだりしながら切り回していた。主人の留守中寂しく待っていた二頭の番犬が、われわれに飛びついて歓迎してくれた。

マッセリアの場合、主屋は箱形のどっしりした普通の建築とし、そのまわりに家畜小屋や納屋

デ・ヴィート・フランチェスキ家所有のマッセリア。主屋、農業用のトゥルッリ群、私設礼拝堂が見える

としてたくさんのトゥルッリを並べる。中にはチーズ作り用やパン焼き用のトゥルッリもあった。この農場では耕作はおこなわず、四〇頭の競馬用のサラブレッドが飼育され、あとはニワトリ、ロバが少々という経営内容であった。この非現実的な恰好をしたトゥルッリのそれぞれの中から、馬の尻がのぞいている様子は、まことにユーモラスなものであった。広い敷地の入口を入ってすぐ左手には、かわいらしい私設礼拝堂が設けられていた。町から離れたところにぽつんと生活する人々にとって、どうしても欠かせないものだったのであろう。

カニッジャ教授のローマ起源説

一般に無名の小都市に関する研究は、古文書や古図の史料も少なく、容易ではない。ローマに戻り、調査結果をある程度図面にまとめた段階で、古い町の形成史にかけては第一人者のジャンフランコ・カニッジャ教授を訪ね、アドバイスを受けた。彼はパオロ・マレットと並ぶムラトーリ学派の代表的人物であり、建築類型学（ティポロジア）の確立に大きく貢献してきた。ほとんど研究上の処女地である南イタリアの小都市のスタディは、彼にとっても興味ある対象のようであった。

図面を見た教授は、どうやらこの町の起源はローマ時代らしい、と言いだした。迷路状のアラブの町のように見えながら、よく観察すると碁盤目（ごばんめ）状のローマ都市の基本形が読めなくもないし、はいりこんだ袋小路を囲む住居群は、古代ローマのドムス形式と呼ばれる住宅が長い間に変化してできた可能性が強い、というのである。事実、比較のために彼が見せてくれた、ローマに近いいくつかの小都市のスタディ図面の中には、たしかに多くの類例があった。

彼は、現在生きている町がどのように形成されてきたかを解明する方法を築き上げ、特にローマ都市について造詣（ぞうけい）が深い。彼によれば、ローマ人はイタリア半島のかなり広い範囲を開発し、無数の都市、集落を築いたのであり、一般に中世起源と信じられている町にもローマ起源のものがずいぶんあるはずだという。考古学的研究からすれば、出土品が発見されない限り時代を特定できないが、建築・都市の組織状態を解読する彼流の新しい方法によれば、町の起源についての研究に新境地が開かれる。

カニッジャ教授は、私の準備した図面を広いテーブルに広げ、眼の前でどんどん分析して見せてくれた。まず田園の中に残っている日本の条里制にも似た開発区画（centuriazione：一辺約七一〇メートルの正方形グリッド）の跡を、長い定規をあてながら探り出してくれた。しかも、地形に応じて少しずつ向きの違う数多くのグリッド群が発見できた。これで明らかにローマ人が町の周辺を広範囲にわたって開発していたことがわかる。

問題は、中世起源と信じられていたチステルニーノの旧街区の場所に、果たしてローマ時代にすでに居住核があったかどうか、ということである。彼はローマ都市の設計モデュールを基準としながら、いくつかの仮説を立ててくれた。

その一つは、ポルタ・ピッコラを入ってすぐのところに、約七〇メートル区画の正方形の居住核がまずでき、それが南のポルタ・グランデの方へ伸びていって、中世初期にその先に教会ができた、というものである。それによれば、一般に中世都市では教会が中央に位置し、その前に広場をもつのに、この町の教会は南端の城門の前にあり、しかももともとは中央に大きな広場もなかった、というような特殊性にたいし、一応の説明がつく。しかしこの仮説は、従来の中世起源説とは真っ向から対立する。もし中世に起源をもつならば、教会の成立と同時にその周辺に居住核ができ、逆に北のポルタ・ピッコラの方へ発展し、城壁を拡大していった(おそらく二回)と考えられるからである。いずれが正しいかを判断するには、今後道路網と住居の配列の仕方を、他の古代ローマ起源の町と比較しながら、さらにつっこんで分析する必要がある。

次の九月(一九七六年)の調査の時には、郷土史家のプンツィ先生にこの点に絞って質問してみた。彼は私のもち出した話に、今まで考えたこともなかったと言って、関心を示しながら説明してくれた。まず周辺に見られる田園の開発区画の話に驚きながらも、これまで発見された古代ローマ人の墓であるサンタ・マリア・ディベリーナなどのネクロポリス、モンシニョーレ・ジーラソーレなどの居住地跡を、いくつも地図上にプロットしてくれた。しかしいずれもこれらは、畑仕事の最中に偶然農夫が発見したものにすぎず、考古学上の体系的な発掘は、これまで一度もおこなわれていない。しかも発見者たちは、本来文化財管理局へ届けるべき出土品をこっそり隠匿してしまうので、実態はわからないし、研究は進みようがない、というのだ。なんともイタリアらしい話である。プンツィ先生は、まず出土品を一堂に集める博物館がどうしても必要だ、と力説した。

私が調べていると、町の人がすぐ寄ってきて歴史の話になるのだが、カニッジャ教授に入れ知恵してもらってからは、それを武器に彼らとやりあった。俺はこの町の起源はローマ時代だと思うがどうだ、と切り出すと、彼らは一瞬とまどいながらも、そんなはずはないと、一般に言われている、大きな貯水槽を中心に町ができたとか、ギリシアから逃れてきた修道士の建てた教会を中心に町ができた、という中世起源説で反論してくる。そこで私がローマ起源説の根拠を説くと、なるほどそうかもしれない、と頼りなくなってくる。そしてさすがアルキテット（建築家）といったふうなまなざしを向けてくれるから悪い気はしない。それにしても、こうして少なくとも一二〇〇年以上も前の歴史について、リアリティをもって話ができるというのも、われわれから見るとうらやましい限りである。

外国への移民と北イタリアへの出稼ぎ

イタリアの大きな社会問題である南北の経済格差は根が深い。一九世紀後半のイタリア王国統一以来、政治・経済力にまさる北イタリアの人々が、北を中心としたイタリア経済発展の道具として南イタリアを常に支配し、利用してきた。その中で、真に南イタリアの人たちの生活向上につながる開発はなおざりにされてきた。こうして北によって人為的に形成された差別の政治的構図の中で、対立は感情的な次元へ高められる。

一つの国家に統一されているとはいえ、言語の上でも人種の上でも違いの大きい、北と南の人々はなかなか折り合わない。北の人々が、ローマ以南はアフリカだと言って、南の連中を未開の土地の人種と決めつけるのにたいし、南の人々は、北の連中は商才にはたけるが、すぐれた学者や政治家を輩出しイタリアをつくったのは自分たちだと誇る。事実北イタリアでは、金儲けのうまい話が転がっているため、若者は早くから実際の仕事を始める一方、南イタリアには仕事がないため、大学にまで入ってじっくり勉強する人が多いのである。また、厚化粧をしてぴっちりしたパンタロン姿で尻を振りながら歩く北の小綺麗な娘たちを、軽薄だとなじるきまじめな南の男もいる。そんなわけで、私がヴェネツィア建築大学にいた頃も、南イタリア出身の学生たちはどうも仲間だけで固まってグループを作ってしまう傾向が強かった。

こうした政治的構図の中で、開発の遅れた南イタリアの人たちは、仕事を求めて外国へ移住したり、北イタリアの産業都市へ出稼ぎに出た。その実態を知るため、私は新しい市街地に最近移った市役所を訪ねた。

資料によれば、一五年くらい前から移民が増し、経済の高度成長期終盤の一九六五〜七〇年には毎年一〇〇人近くが国外へ出ていた。その先はヨーロッパが圧倒的に多く、スイス、ドイツ、ベルギー、イギリス、フランスという順である。その他では、カナダ、アメリカへの移民が見られる。

　こうして移住していった人々の心境はさまざまなようだ。恵まれた仕事にありついて、快適な生活を送っている成功者は、里帰りしてドイツの生活のよさを持ち上げるし、敗残者はドイツの社会の冷たさを酷評する。「あるレストランには犬とイタリア人の出入りを禁ずという注意書きがある」とか、「ドイツ人は隣の住人が物音を立てても神経を尖（とが）らせるから、アパートに住んでいて生きた心地がしない」とかいう具合である。

　もちろん転出先は外国ばかりではない。ミラノ、トリノ、ジェノヴァを結ぶいわゆる産業の三角地帯を中心に北イタリアへ多くの人々が引っ越していく。誕生パーティーに招いてくれたグラツィアも、結婚してすぐ電気技師である夫の職がミラノ郊外に見つかり、この町を出ていった。袋小路で隣同士家族のようにつきあっていたマリアも、古い部屋を借りて自分のささやかなパーマ屋の店を出したものの、グラツィアの引っ越しに刺激されて、ミラノで美容師として働くことを夢見るようになった。

　しかし国外との関係では、一九七一年からは逆に戻ってくる人の方が多くなる。とりわけスイス、ドイツからのUターンが著しい。七〇年代に入って、経済事情の悪化や移民者が引き起こす社会問題などを理由に、それまでの受け入れ先の国々が、出稼ぎ労働者の締め出しを始めたからである。

　出稼ぎから戻ってきた人々の中には、農業に復帰する人も数多くいるが、若者にとっては、一度産業社会の中で働くことに慣れてしまうと、労多くして収入の少ない農業は敬遠の対象になってしまう。定職につかず適当に遊びながら、ときどき臨時のアルバイトをして食いつなぐという安易な生活へ流れやすい。ある青年は、この町の若者の中には、ブリンディシ、バーリ、タラントのような港町で密輸にからんだ仕事をして荒稼ぎする奴もけっこういる、と打ち明けてくれた。

町の商工会議所で調べたところ、一九七二年二月現在で、人口一万九四七人中就業人口は四四七一人、そのうち農業従事者二六〇四人、工業（建設を含む）九二七人、商業二五〇人、その他六九〇人という内訳であった。現在のところ産業らしきものと言えば、従業員数八〇名の繊維工場、さらに小規模のワイン工場があるにすぎず、依然農業依存型の経済の中にある。主産物はオリーブとワインで、その輸出も多く、オレンジ、アーモンドがそれに続く。牛、羊中心の牧畜は、この地域の自足用の範囲を出ない。取りたてて貧しいというわけではないが、常に低成長に悩み、北イタリアとの生活上のギャップはやはり大きい。

汽車で一時間強の海沿いの大都市には、南部開発の一環として建設された大企業の工場がある。ブリンディシには石油化学のモンテエディソン、タラントには製鉄のイタルシデル、バーリには自動車のフィアットという具合である。交通の便が悪く、それらの町へ通うのは難しいので、アパート住まいをしながら働き、週末にチステルニーノへ戻るという若者が多い。

しかし近年では、これら基幹産業は公害を撒き散らし海を汚染する一方、生産工程が合理化されているため、労働力を吸収することにもつながらず、結局のところ地域にとって益をもたらさなかったとして反省されている。こうして、中央の資本進出という形をとらずに、地域の産業をどう興せるか、という課題に南イタリアの人たちは取り組み始めている。そこで議論に上ってきたのが、農業の近代化（機械化、経営規模の拡大）であり、それに伴う農業機械の製造、農産物加工、各種手工業の振興という方向である。

政治好きな片田舎の人々

こうした傾向は、もちろん政治の動向と深く絡まっている。ここ二、三年保守地盤が強かったナポリやローマでも共産党市長が誕生して話題をまいたが、実は人々の意識の変化は、カトリック勢力が絶大と言われた南イタリア全般にわたって見られる。それはごく一部の権力を握った政治家の腐敗しきった因襲的保守政治に人々が愛想をつかしたからであり、また高度成長期にも出稼ぎという形で労働力だけ提供させられ、結局地域の生活が豊かにならなかったことを人々が自覚し始めたからである。

南イタリアを旅していると、人々との話は必ずこういった話題に行きつく。なかでもシチリアの小さな町シクリアーナでの経験は印象深いものであった。

まったくの田舎駅で下車した私は、とぼとぼと坂を登って町へ入った。ちょうど昼時にさしかかったので、食料品屋で生ハムのサンドイッチとビールを買い込み、広場に坐り込んで食事を始めたところ、物珍しそうに男たちが集まってきて、私のまわりに人垣ができた。初めのうちは、イタリアでもう何百回と繰り返してきた、他愛もないお決まりのやりとりに調子を合わせていたのだが、中にいた牛乳屋の親父さんの話がだんだん町の抱えている問題の核心を突いてきた。私も興に入ってきて、それならばと、聞きかじりの南伊問題に関する知識を駆使して、まじめな顔で彼に質問をぶつけてみた。それにたいして彼の口からは、「町を観光化するのは住民の生活を失う恐れがある。農業に関連した地場産業を興すことがまず必要である」という答えが返ってきた。こうしたわれわれ二人のやりとりに、まわりの人たちはうなずきながら聞きいっていた。なかなかにして説得力のあるこの親父さんは、あとで町の人に尋ねてみたところ、案の定、町の政治に熱心な社会党員だということであった。イタリアではどうしてこんな片田舎にやってきてまで、政治の話が聞けるのか、実に不思議な気がする。

チステルニーノにも、私がこの町とつきあい始めてすこしたった頃、社会党の市長が初めて誕生した。隣町ロコロトンドの高校教師もつとめる、土木技師のサバティーノ氏である。彼の息子と娘が、私と同じヴェネツィアの建築大学で学んでいたことから、この家族と図らずも近づきになれた。この田舎町には、まだアルキテット（建築家）の称号をもつ人は誰もいない。それゆえ息子たちは、ともかく卒業さえすれば、この町最初の建築家として、晴れがましく戻ってこられるのである。

このサバティーノ氏の評判はどんなものかと、町の事情に通じた宿の息子のジュゼッペ君に聞いてみたところ、政治に絡む連中は右も左も皆裏で通じているから、革新系であってもなんら変わりはしない、という返事であった。

人間的つきあいさえできれば、この際主義主張の違いは二の次だと考え、私はよそ者の特権を生かして、どんな政治思想の人たちとも積極的につきあうことにした。実は親しくしていたアンナ先生、プンツィ先生の両氏が、ネオ・ファシスト党（イタリア国家社会主義運動）の活動家であったことも、やはり同じジュゼッペ君が入れ知恵してくれてわかった。実際彼らは旧街区の一角に研究会用の部屋をもっている。今ではほとんど活用されていないが、書棚には戦前からの新聞が資料としてぎっしり並び、彼らの活動ぶりがしのばれた。

また神父のドン・サヴェリオ氏の書斎は、この部屋の斜め向かいにあたる教会の腹部にとられている。ここでも私はずいぶん資料を見せてもらった。

中央のエマヌエル広場から横道へ少し入ると社会党の拠点がある。ここはネオ・ファシスト党の部屋が閉じっきりなのとまったく対照的に、いつ通っても夜遅くまで灯がついており、ヴォールト（曲面）のかかった白漆喰（しろしっくい）の部屋の中には、議論に熱中する若者たちの姿が見られる。

この田舎町でも、失業対策等をスローガンに、エマヌエル広場をぎっしり埋めて、革新系の集会がおこなわれることが珍しくなかった。そんな時は、バルコニーからも人々が身を乗り出し、広場がさながら屋外の大市民会館に早変わりするのである。

忘れ難いカサリーニの子どもたち

私にとってチステルニーノでのもう一つの忘れ難い思い出として、子どもたちとの出会いがある。プンツィ先生やアンナ先生が教鞭（きょうべん）をとるのは、実はチステルニーノの町ではなく、カサリーニというさらに田舎の小学校なのである。この学校の先生たちは、そのほとんどが町に住んでおり、誘い合わせて車でカサリーニ村まで通っている。

私もある日、皆にかつぎ出されて、町から車で一五分ばかりいったこの村を訪ねることになった。イタリアのご婦人方は中年にさしかかるとたんに肥えてくるので、この乗り合いの車内も決して楽ではなかった。オリーブの間にトゥルッリの点在する丘陵地を進み、坂道を登りながら村に入った。両側をたくさんのトゥルッリではさまれた道には、登校中の制服姿のかわいい子どもたちが数珠(じゅず)つなぎに並び、徐行して進むわれわれの車をのぞきこんで、笑顔で手を振るのであった。

お目当ての小学校は、鉄筋コンクリート平屋のシンプルなもので、大ホールを囲んで教室が五つ並ぶ構成だった。私はアンナ先生に連れられ、各教室を挨拶に回るはめになった。光の満ちあふれる各教室には、壁や床に絵や工作品が所狭しと並んでいた。どの部屋でも、子どもたちはくすくす笑いながら、物珍しそうに大きな眼を開いて、私を眺めるのだった。男の子はブルーの、女の子は真白のかわいい制服を着、皆天使のように素直で無邪気なのである。それぞれの先生の自主性が重んぜられるため、机の並べ方、授業の進め方は多種多様で、子どもたちの表情も楽しそうである。

朝の二時間の授業が終わると、おやつの時間である。どの子も家からパンニーノという、生ハムやチーズをはさんだサンドイッチを持参していて、教室でにぎやかに食べる。一方先生たちは、事実上は食堂になっている職員室に集まり、ワインとパン、チーズで、実に結構なおやつにありつく。プンツィ先生を除けば他はご婦人方ばかりだから、かしましいことこの上ない。ときどきドアをこっそり開けて中の様子を盗み見る子どももいる。

この休憩時間ののち、私はアンナ先生の受け持つ四年生の教室で、彼らの授業を参観した。と

カサリーニの小学校での記念撮影(後列左端が筆者)。素直で無邪気な子どもたちとの交流は素敵な思い出である

いうより、私を歓迎してくれて、日本のことを私がしゃべり、彼らが質問することになった。そしてその後、アンナ先生が「じゃあ皆さん、これからこの日本のお客様が私たちの学校を訪ねてくれたことをテーマに作文を書いて下さい」と始めたのには、参ってしまった。書き上がった作文を子どもたちが大声で読み上げるのである。そうさせておいて、先生自身、生徒たちの文法上のミスの続出にてれたり、外見的なことだけでなく、日本からのお客さんと話してなにを感じたかを書きなさいなどと、子どもたちにとってはいささか難しい注文をつけるのであった。

こんなわけで、それ以来、チステルニーノを訪ねるたびに、このカサリーニにも子どもたちの顔を見に行くことが慣例になってしまった。そして、東京の小学校の子どもたちと交流を図りたいという彼らの希望で、子どもたちの心をこめた絵や工作品を箱一杯預かることにあいなった。受験戦争とか熟通いとかで、小さいときから子どもらしさを失っている東京の小学生たちに、果たしてこの彼らの純朴な気持ちが伝わるかどうか、一抹の不安を覚えながらも、私は子どもたちの夢が詰まったこのずっしりと重い箱をローマへ持ち帰った。

第五章　保存再生の先駆者　ボローニャ——中部イタリア

「保存」から生きた町の「再生」へ

今や保存が常識となって、あまり大規模な建設工事の現場を見かけなくなったイタリアの古い町にあって、ボローニャだけは例外だ。ここではあちこちにクレーンがそびえ、筋骨たくましき男たちの汗を流す姿が目にとまる。というのも逆説的な話であって、保存の先端をいくボローニャは、その理念の確立をすでに成し遂げ、その実践として古建築の修復・再生に基づく町づくりの事業へ大きく踏み出したというわけなのである。

ヨーロッパ最古の大学を生み、厚い伝統・文化を誇るボローニャは、今なお時代の最先端を歩もうという気概を失っていない。一九六〇年代末には、近代都市として成長すべく、丹下健三(たんげけんぞう)氏の「ボローニャ計画」で話題をまきながら、七〇年代に入ると、一転して保存を主軸とした都市計画を推進し、今やその方面ではパイオニアの地位を固めているのである。ヨーロッパ諸国から視察に訪れるグループが後を絶たず、市役所の担当建築家たちは、その案内にいささか疲れ気味ですらある。

今思えば、私が留学のためイタリアにやってきた当初は、どうしても日本で身につけていた見方、考え方をそのまま持ち込んで建築や都市を見てしまっていたようだ。われわれ日本人にとって一種のあこがれであるイタリアの歴史的都市を、造形論、空間論の立場から分析することで満足しがちであった。それは古い町を、完成され静止してしまった芸術品としてとらえてしまうことであり、結局のところよそ者の論理にすぎなかった。

だが、イタリアの町に長く生活し、人々と同じ空気を吸い、同じ料理を食べ、同じリズムで物を考えるようになると、歴史的な町とはいえ、どれも今なお生きた存在であり、そこに住む人々がよりよい生活空間を実現するために常に新しい価値をつけ加えようとしている、ということが次第に見えてくるのだった。それは私には一つの開眼であった。イタリアの建築家、都市計画家が情熱をもって語る言葉の一つ一つが、ようやく私の奥深くへスムーズにはいりこみ、そのまま自分の栄養になり始めた。

古い町の「保存」の話がその最たるものであった。彼らがこの言葉を口にする時、そこには一見して受ける、完成された芸術品をそっくりそのまま保護して残す、という時代に逆行したマイナスのイメージはまったくない。常に生き続ける町の今後の生活環境をより豊かにしていくために、歴史的環境を見直し、それを最大限に生かした町づくりをしようとしているのだ。「保存」という言葉よりも歴史的都市の「再生」とか、歴史的環境への「資格再付与」という言葉の方が、むしろ適切なのである。今日のイタリアの建築家にとって、古い町の都市計画と古建築の修復・再生計画の仕事は、アクロバットな現代建築を作ることより、はるかに人間の問題、文化の問題に深くかかわるやりがいのある仕事なのだ、ということがようやく実感としてのみこめるようになった。

すでにヴェネツィアの保存問題をぼつぼつ調べ始めていた私は、こうして一九七五年の後半に入る頃から、それまでの「都市形成史」という自分のテーマに加え、イタリアの「保存的都市計画」という今日的なテーマに正面から取り組もうと考え始めたのである。もちろんその二つのテーマは互いに密接に結びつくものであった。

住民の生活を中心に据えた歴史地区の再生問題は、古い建物がぎっしり詰まったイタリアのどの町にも共通した今日的課題となっている。その中で、イタリアのどの建築大学も、新しい都市計画の方法の確立と現場でそれを担う人材の養成、という社会的任務に積極的に取り組む姿勢を見せている。

幸いなことに、ヴェネツィア建築大学も、イタリアの最前衛という評判にふさわしく、新しい試みを積極的に授業に取り入れていた。おひざもとのヴェネツィアの町を筆頭にパドヴァ、ヴィチェンツァ、ヴェローナ、トレヴィーゾなどの近郊都市を相手に、実際的な調査・計画を精力的に進めており、それがそのまま各自治体の都市計画の実施に生かされることも少なくないのだ。扱う範囲が都市・地域へ広がるため、学生たちの抱える図面の筒はまるで大砲のように大きなものとなる。そんな図面を製図台一杯に広げながら、話し好きな彼らは、自分たちの計画の意義をいっぱしのプランナー気取りで説明してくれたものだ。またボローニャ、ヴェローナ、アンコーナなど再生事業を強力に推進している自治体の担当建築家を招いてのシンポジウムがしばしば催された。大教室を埋めた学生たちが夜遅くまで白熱した議論に参加する光景はまことに印象的であった。

こうして保存の先駆者ボローニャは、いつのまにかヴェネツィア、チステルニーノと並ぶ、私のもう一つの大きな調査対象地となった。幸い、伝統的な町並みの中にジーパンに髭面(ひげづら)の若者があふれるボローニャの雰囲気が好きで、私の足はごく自然にこの町へ向いた。またチステルニーノの場合と違って、ヴェネツィアから約三時間という近い距離なので、日帰りで気軽に行くことさえ可能であった。さらにここには、スパゲッティ、トルテッリーニ、ラザーニャなどのパスタ類や小牛の肉料理といった名高いボローニャ料理にありつけるという楽しみがあった。爽快な空気と歯切れのよい人間関係のためか、イタリアにいると不思議に食欲が出る。調査と称して各地の料理を食べ歩くのもイタリアでの大きな楽しみの一つであった。

ところで、日本では現代の生活の要求に逆行するものとして、とかく住民に嫌われがちな「保存」という言葉が、イタリアでは市民も左翼学生も唱える共通のスローガンとなっている、というのも解りにくい話である。そこでまず、革新都市ボローニャの言う保存論に耳を傾けてみよう。「古い都市は、単に人々が集合して生活する場であるばかりか、住民の所有物でもあった。都市の中には、さまざまな社会階級が統合されながら存在し、調和のとれた共同での使用と消費とが見られた。ところが、資本主義の到来によって、初めてそれまで考えられなかった次元で土地の商品化がおこり、共有財産が私物化され人間的価値への無関心が生み出された。歴史地区は不動産の投機行為の対象として売買され、もとからの住民は郊外へ追いやられて、その社会的活動が排除されてきた。こうして膨張する都市は混乱に巻き込まれ、伝統的人間関係と生活形態は失われ始めた。そこで今、公共の財であるべき歴史地区を、資本の側から住民の側へ再占奪(さいせんだつ)することが目論まれねばならない。これこそが保存の意味である。保存は都市の社会的な再占奪であり、したがって保存は革命なのである……」

あまりにラジカルな言いまわしに唖然とさせられるが、これはれっきとした市主催の保存に関する展覧会のカタログからの引用である。ここでは、過去の民族的遺産を凍結的に残す保存という考えはすでに影をひそめている。むしろ、住民を主人公とする都市の文化的発展の本来の姿を取り戻す上で、古い町の保存が必要であるとされる。つまり、保存のための保存ではなく、今後の人間を中心とした都市の環境形成のために、歴史地区を積極的に生かしていこうとしているのだ。

「新しい社会のための古い町」というこの町のスローガンがそのすべてを言い表わしていよう。こうしてボローニャでは、市民に開かれた新しい形の保存が確立されたのである。

まずこのような考え方が出てくる背景を探っておこう。なにごとにつけても歴史の話がまず出発点となるイタリアでは、都市・建築の分野でも、オピニオン・リーダーとしての任務の多くは、ブルーノ・ゼヴィやレオナルド・ベネーヴォロのような建築史家の手に握られている。同時に、古来オールマイティの人格を輩出してきたこの国の伝統を引いてか、歴史家でありながら建築設計、都市計画の実際の仕事で活躍する俊英も多いし、建築家、プランナーの仕事の中にも、歴史的な調査・考察を前提とするものが実に多い。要するに、現代の町づくり、建築の創作活動が歴史と密接に結びついているのである。

そしてイタリア人は、ヨーロッパの中でも特に物事を重層的にとらえ、構築的な考え方をする人種である。それはこの国ならではの歴史の厚みや石の文化と無関係ではなかろう。この国の人々は、古代ローマから中世、ルネサンス、バロック、近代と、各時代のそれぞれの建物がぎっしり詰まった重層的な都市環境の中で育ちながら、自然のうちに建築や都市の、さらに社会の形成のダイナミズムに内在する論理を感じとるようになる。歴史にたいするパースペクティブな見方、考え方を心の内に持つようになるのだ。

その意味で、古代ローマのものが厳然と町中に横たわっていることは重要であろう。ルネサンスを見てもバロックを見ても、古代ローマとの対比において、それらの意味と限界とを肌で感じることができるからである。実際イタリア人は、古代ローマの偉大な文明をみずから生み出し継承してきたことを誇る。他のヨーロッパ諸国との大きな違いもここにあると言わんばかりである。同じイタリアでも、ローマに移った後の私には、あのヴェネツィアでさえ薄っぺらに見えてしまった。闇に包まれた古代の遺跡を背景に、焚火（たきび）から立ち上がる赤々とした炎によって超ミニの自分の姿を映し出す娼婦たち、そんなところにさえ底知れぬローマの町の奥深さを痛感したものだ。

イタリアで受けるなんとも言えぬ重み、感銘は、歴史の中で生起したものが豊かな自然の中に堂々と横たわっているあの存在感と、そういうものに負けずに、人々が表現している生命感とに根ざしているのだろう。情報の氾濫（はんらん）と大量消費の中で本物の味を失いがちな今日の世界にあって、経済的には停滞しながらも常に独創的な文化的・知的生産を続けるイタリアの秘密は、実はこのような自然と物と人間との奥深い結びつきにあるのではなかろうか。

それにつけても、人間の創造行為でまったく観念の所産というものはありえない以上、その原われわれの想像力が枯渇してしまうことは目に見えているだろう。周囲の環境がすべて自然を食いつぶし、新建材で埋まった通り一遍の市街地になってしまったら、かに重要かを痛感する。その点からしても、歴史的環境は失ってはならないものなのである。体験の場を物的な環境として身のまわりに豊かにもつことが、個人にとっても社会にとってもい

歴史をばねにした革新を重視するイタリア

今日のイタリアでは、革新であることと歴史に立脚した物の考え方とは一貫している。つまり現在の革新的なさまざまな動きは、近代の産業開発優先の中で、歴史的に築かれた自然と物と人間との結びつきが危うくなったことを感じとった、彼らの反撃ののろしとして見られるからである。大量消費社会の中に人間味のある手作り的なものを復活させたり、現代の資本に管理された都市社会に、古い町のもつ豊かな潜在能力を生かしながら、住民の息吹のある町づくりを持ち込もうとし始めている。革新の側から、歴史と伝統をばねにした新しい文化の創造への提案がなされているのである。今まさに都市のルネサンスが再び始まりつつある、と言っても過言ではない。

ここで忘れることのできないのは、一九六〇年代の高度成長期の終焉(しゅうえん)とともに噴出した、六八～六九年の怒れる若者の反乱が、鎮圧という形に終わらなかったという点である。もちろん長い歴史を背負いこんだ古い社会の構造が一気に変わることはなかったが、少なくとも具体的、現実的な次元で改革への気運が高まり、その方法が模索された。大学では運営方式の民主化が進み、カリキュラムの内容が積極的に改革されたし、大都市では、都市の政治への市民の直接参加の権

利を保障する地区の評議会が形成された。国内での北と南の経済的なギャップ（南北問題）を克服するための方策が真剣に議論された。

こうして若い世代のもつ変革への創造的エネルギーがきっかけとなって、現実の社会が動かされ、生活と文化を見つめる市民の意識が形成されたのである。

この間イタリア共産党は、若者の反抗にたいして、その意味するものを政治、社会、文化のあらゆる観点から真摯（しんし）に分析し、理解しようとする柔軟な態度をとった。変革のエネルギーが左翼内部の対立の中で自己分裂し、霧散（むさん）した日本の事情とはだいぶ異なる。その後一九七〇年代になって、多くの若者が自治体に入って、共産党と歩調を合わせたことも、今日の真の地域主義の成熟に結びついているという。イタリアの多くの自治体が、住民の生活文化を中心に据えた歴史的都市の再生事業に熱心に取り組む現在の事情も、この社会情勢の中ではじめてとらえられる。

思いがけないことから、このような新しい都市政策の実現のため第一線で活躍している人々のまっただ中に飛び込むチャンスが私にめぐってきた。トレヴィーゾに近い旧街道沿いの美しいヴィッラに置かれている、ヴェネツィア建築大学の都市計画専門コースの実力教授、マルチェッロ・ヴィットリーニ氏との出会いがそのきっかけとなった。彼との話ははずみ、現在のイタリアの都市問題について日本へ本格的に紹介する情報豊かな特集を二人で企画編集しよう、ということになったのだ。以来ヴィットリーニ氏の紹介で、私はイタリア中を駆け回り、ボローニャはもちろん、フェラーラ、アンコーナ、リミニ、ナポリなどの都市計画局や、自治体から委託を受けて計画に取り組んでいる大学教授のアトリエを訪ね、原稿を依頼したり、資料を提供してもらった。結局われわれの仕事は『都市住宅７６０７』の「特集／都市の思想の転換点としての保存――イタリア都市・歴史的街区の再生」としてまとまったが、この経験を通して私は、この国の都市問題、地域問題に情熱的に取り組む人々から、直接多くのことを教えられた。特に、地元の建築家が頑張ってこそ地方都市の文化的環境を高めていけるのだ、とつくづく考えさせられた。

二〇〇〇年以上もの都市文明の歴史をもつイタリアの、その奥深くからわき出しつつある変革のエネルギーは、決して近視眼的な小手先の都市計画技術へ収束しない。それは彼ら独特の構築的な考え方を呼び覚ましながら、近代の都市の思想を根本からつくり変えようとしている。具体的には、歴史性と社会性の重視という形をとって表われる。

古い町並みの保存には、まずその町と地域の歴史を正しく認識することから出発する。すなわち、長い時間をかけてつくり上げられた都市の形態の意味と、その構成単位である建築の特色が分析され、地域の伝統となっている生活様式が描き出される。次いで、近代の都市発展がそれまでの形成過程といかに非連続的な性格をもち、思想なき小手先のアイデアと技術で古い町並みと人々の生活をどれほど脅かしてきたか、を痛烈に批判する。このように、都市と地域の生い立ちに関してつっこんで調べることは、暴力的な破壊と開発の歯止めとして大きな意味がある。これまで一般に古い町の破壊は、歴史に無頓着な楽観的な進歩主義と既存の町並みのもつ豊かさへの無知によって盲目的に推進されてきたからである。

そしてこのような正しく歴史を認識する態度は、歴史的都市を形成し、文化を支えてきた住民の生活と社会的営みへ必然的に関心を拡げていく。歴史的・芸術的価値をもつモニュメント的建築の「点」としての保存から、環境的価値をもつ歴史地区の「面」としての保存への転換を完全になしとげ、今日、議論は歴史地区の「社会的組織」の保護に集中している。つまり対象を「古い都市の形や空間」という物の次元に限定するのでなく、それを支える「住民の生活と文化」の向上に結びつく生きた保存にまで話を拡げようというのである。ここに「フィジカルな計画としての保存」から「社会的計画としての保存」への転換が見られる。

同じヨーロッパの国々を比較しても、建築や都市にたいする見方がずいぶん違うことに驚かされる。保存の考え方の違いは、作成される図面の種類を見れば一目瞭然である。イタリアの場合、建築空間と生活主体・生活形態の関係が重んぜられるから、建物の表側であるファサードの図以上に、内部の様子を表わす平面図とその分析図に精力が注がれる。都市を有機体として見立て、そこにおける建築の成立、変容を動的に分析しながら、建築・都市の組織構造を解明する、建築類型学(ティポロジア)の方法も、この国でこそ発展することができた。それにたいし、他の諸国の場合、写真測量を活用しながら視覚的に美しい外観の連続立面図を作成して、都市の形態と景観の保存の重要性を訴えることに力を入れる、という具合である。これほど近くにあり活発な情報交換もおこないながら方法上の明確な差異があるという事実、こんな中にも各国の伝統的な物の考え方や現在の政治状況が投影されていて面白い。

しかし都市の問題が複雑になるほど、デザインの問題、形の問題にとどまらず、住民の生活とそれを支える経済的側面の話が強まらざるをえない。コミュニティを持続させ、真に住みやすく味わいのある生活空間を保持し続けるためには、そのことがどうしても重要となる。マルロー法のもとでのフランスの町並み保存の手本とされたパリのマレー地区の場合、従来の住み手が少なくなり、高級な商店や住宅の並ぶ華やかな地区に変質してしまったと聞く。そこで注目されてくるのが、都市の主役である住民を保護する、ボローニャ方式の都市計画なのである。

二〇〇〇年も生き続けるマッジョーレ広場

ここでもイタリア流の都市計画の定石にしたがい、まず町の歴史と町並みの特色を調べることから始めよう。

今のボローニャの地に集落が形成されたのは非常に古く、鉄器時代にさかのぼる（前八世紀〜前六世紀）。ついでここはエトルリア文明の中心地として栄えたが、その後の町の発展の基礎になったのは、なんと言ってもローマ時代の都市建設である。前一八九年に、ローマ人はこの地に植民都市の建設を開始した。最初に派遣された三〇〇〇家族のうち五分の一が都市内に、五分の四が田園に住んだといわれる。彼らの手で肥沃な農業地域として開発されたボローニャ平野には、その名残りとして、日本の条里制によく似た田園の区画（centuriazione）の跡が今日までよく伝わっている。その後都市は成長し、人口数万を数える北イタリア最大の都市の一つになった。

ボローニャの場合、現在の町並みの中にローマ時代の遺跡が顔をのぞかせているわけではないが、二〇〇〇年前のその都市構造は今もはっきり読み取れる。まず、南北方向にやや長い城壁で囲われた長方形のローマ都市部の跡は、中世以降の拡張部から明白に区別できる。そして、南北のカルド、東西のデクマヌスという直交する主要道路は今も生き続け、その交点近くに位置した

ボローニャ中心部。碁盤目状の古代都市の構造と真中に受け継がれた市民が集うマッジョーレ広場

フォロ（ラテン語はフォルム、英語はフォーラム）と呼ばれる広場がそのまま現在の市庁舎前広場に置き換わっている、という具合である。

このようにヨーロッパの町の形成の歴史は非常にとらえやすい。都市の構造は、城壁、道、広場によって明快に決定されているし、その発展の様子は、固い殻を破るようにして城壁を外側へ拡げていくプロセスとして見ることができる。しかもその発展の痕跡、つまり各時代ごとの都市の形態が、町並みの中にはっきり刻み込まれ、物として残っているのである。イタリアにおいて、町全体が歴史を物語るモニュメントだ、と言われるゆえんがここにある。したがって教会や市庁舎が保存されるのと同様に、町の構造、形態も町の文化を構成するものとして保存の対象となる。

このような意味で、町の形態上の特色を明らかにする歴史的なスタディが重要視されるのである。

古代ローマ時代の中央広場フォロとして生まれ、以来常に市民生活の中心として機能してきたマッジョーレ広場に立ってみよう。車を締め出し、歩行者に開放されたこの広場には老若男女が集まり、終日にぎわいを見せる。その西面には、みごとなゴシック窓を広場に向ける市庁舎、南面には、やはりゴシック様式のパラッツォ・デイ・ノターイとファサード上部が未完のまま残された巨大なサン・ペトローニオのバジリカ、東面には、ルネサンスにヴィニョーラのデザインによって建てられたパラッツォ・デイ・バンキ、北面には、一五世紀に再建されたパラッツォ・デル・ポデスタが建ち並び、壮麗な雰囲気を作り出している。まさに建築史上重要な様式の建物がずらりと顔をそろえ、広場を囲んでいるのだ。

このように、町の中心に二〇〇〇年にもわたって生き続けてきた広場があるというのは、うらやましい限りである。歴史上の数多くのドラマの舞台となった町のこの心臓部は、今なお人々の生活に脈々と血を通わせているのだ。このような広場は、人との待ち合わせにも恰好の場所を提供するし、夕方の散歩にもまことに心地よい都市空間となる。そしてまた、共に同じ町に生きているのだ、ということを無意識のうちに確認しあうことのできる連帯のための場でもある。

とはいえ、普通イタリアの広場には、別に何という目的もなしに人々がたむろしている。このマッジョーレ広場も例外ではなく、中心部には中年以上の小グループの立ち話の輪が無数にでき、一方、周辺部にあたる教会堂前の大階段には若者が腰をおろし、だべりながら時を過ごしているのだ。市民のメンタリティがヴェネツィアよりは開放的なためか、ここでは見ず知らずの人とも

▶ボローニャの古地図(19世紀初め)。城壁の中におさまった市街地を見ると、中心部にローマ時代に起源をもつ碁盤目状の街区が、その外側に放射状に伸びる道路で組織される不整形な中世の街区が広がっているのがわかる

▼2000年も生き続けるマッジョーレ広場。中世以来のボローニャ市庁舎がそびえ、市民が交流する象徴的なこの広場では、しばしば政治的な集会もおこなわれる

話が始まったりもする。しかし、ここに集まる誰もがいささかの退屈を感じているのもこれまた確かなようだ。

その後ローマ・センターの見学旅行でこの広場を訪ねたある春の晩のこと、人なつっこいペルーのフィルベルト君が、ちょっとふざけてパントマイムを始めると、なにごとかと歩を止める人が現われ、彼もいい気になって続けていたところ、あっという間に二重、三重の大きな人垣が取り囲んでしまったのだ。さあ困ったのはわれわれである。噴き出しそうになるのを堪えながらも、引っ込みがつかなくなり、うまくもないパントマイムを真剣に続けるフィルベルト君に友情を発揮し、声を合わせて笑ったり、最後には小銭を投げて彼を助けたのである。そして、君のおかげで、広場がどう機能するかよくわかった、といって冷やかしたものである。

中世の塔が乱立する都市景観

ローマ帝国の倒壊とともに町は一時荒廃し、農業経済へ移行した。その後中世初期の五世紀に、サンタンブロージオ教会などの宗教的勢力が核になって都市の再興が始まった。六世紀の初めには、テオドリック大王のもとで町の東の部分のみが城壁によって防御された。人口は、他の都市同様、一〇世紀末と一一世紀初頭の間に増加を見せ始めた。城壁の外にあったカテドラルが内部の現在の場所へ移され、世界最古の著名な大学が創設されたのもこの頃である。さらに一二世紀初めには、ラテン系とランゴバルド系の二つの町の統合によってボローニャのコムーネ（自治都市）が形成され、それに応じて第二番目の城壁が建設された。

16世紀のボローニャの都市景観（一番高いのがアシネッリの塔）。塔が数多くそびえる迫力ある景観は、中部イタリアの都市に広く見られた特徴である

塔の乱立する、いかにも中世らしいボローニャ独特の景観は、この時代のものである。自給自足経済が崩壊した一二世紀に、商業センターとしての重要な役割を持ち始めたこの町へ、多くの封建貴族が人々を引き連れて集まり、要塞風住居、塔状住居を建設して住んだのである。

町の中心マッジョーレ広場を北に抜け、ローマ時代のメイン・ストリートのデクマヌスに相当するリッツォーリ通りを東へ進むと、正面にボローニャ名物の二本の塔が目に飛び込む。左のガリセンダの塔（一一一〇年建設開始）は、右の高いアシネッリの塔（一一〇九年建設開始）の側へ大きく傾き今にもよりかかりそうに見える。ルネサンスの建築家アルベルティは、ガリセンダの塔はその先が隣のアシネッリの塔へ達するような方法で建設された、という伝説を称揚し、その傾斜は初めから意図されたのだ、と書き残したほどである。実際にはもちろん地盤の沈下によって傾いたのであり、それによって建設が中断された。

この塔は一三五一年から一三六〇年の間に、倒壊を恐れた時の為政者ジョヴァンニ・ダ・オレッジョによって、高さ六〇メートルから現在の四八・一六メートルへ切り落とされた。したがって、『神曲』地獄篇第三十一曲に「傾ける方よりガーリセンダを仰ぎ見れば、雲その上を超ゆる時これにむかひてゆがむかと疑はる」（山川丙三郎訳、岩波文庫）と書いたダンテが、この地に学び、朝に夕にこの塔を見上げていた一四世紀の初めには、現在よりもっと高くそびえていたはずなのである。

この塔の壁面にある無数の四角い穴は内部に幾段にもめぐらされた木の回廊を支えるための片持ち梁が通っていた跡であり、下から約五メートルの所に開けられた窓状のものは入口である。いずれも貴族の住居に付属する要塞としての塔にふさわしい。

右の九七・二メートルにも及ぶアシネッリの塔は、その信じ難い化け物のように細長いプロポーションのために古来さまざまな伝説を残してきた。その一つは、悪魔の仕業で一晩のうちに地面から直接立ち上がった、というものである。この塔は、体力と気力さえあれば頂上まで登ることができる。狭くて薄暗い内部空間を急勾配の木の階段で一〇〇メートル近く登り切って塔の外へ出てみると、その眺めは圧巻である。視界はボローニャのはるか周縁の田園へと伸びていく。

古い町並みを見降ろすと、先ほど訪ねた中心のマッジョーレ広場が、大きな建築群の間にぽっかり抜けているのがまずわかる。碁盤目状に割られたローマ時代の構成をもつ町並みから、眼を塔のすぐ足元に移してくると、そこからは数本の道が外側へ向かって放射状に伸びている。ここがラヴェニャーナ門にあたり、まったく異なる町割で構成される中世部分の始まる地点である。

町中をさらによく見ると、これほど高くはないにせよ、他に何本かの塔状建築が観察できる。記録によれば、一一世紀から一五世紀にかけて、約二〇〇の塔があったという。一四世紀末に新たな城壁ができる以前の、ぎっしり詰まった中世都市に数多くの塔がそびえる光景は、想像に絶するものがあったに違いない。中世にグエルフィ党（教皇派）とギベリーニ党（皇帝派）に分裂して争いが絶えなかったことも、この奇妙な塔乱立の大きな理由となっている。一六世紀の古図を見ても、ボローニャの都市景観はいまだ乱立する塔によって特色づけられている。しかし近代に入ると、老朽化した多くの塔は、新たな建築の必要性に迫られて倒壊される運命にあった。

気候風土が生んだ列柱廊「ポルティコ」

ボローニャの都市景観上のもう一つの特色は、ポルティコと呼ばれる道路沿いの列柱廊にある。この町では、建物の一階部分が列柱廊として人の歩行に開放されているのである。道がゆるやかにカーブしているところでは、そのリズミカルな連続アーチの構成がとりわけ面白い効果を生む。

ボローニャの町のポルティコの全長は四五キロ以上に及ぶという。しかし今では計算するのはいささか難しい。というのもこの町では、最近の新しい建築でもこの快適で個性的な建築手法を踏襲しているものが多いからである。

このポルティコの起源を解き明かす確かな史料はなにも残っていない。ある人はその起源を遠くローマ時代に求め、その建築を中世初めの蛮族が直接継承したのだとする。ボローニャの場合、中世のポルティコはその多くが木造であり、石の基礎の上に木の太い角柱を立たせて、木の梁をわたして列柱を作っている。それは都市建築というより、いまだ田舎の純朴さをとどめている。時代が下ると、石によるアーチに置き換わり、リズミカルな道路景観が生まれたが、周辺の庶民地区の住宅には木造の質素なものが使われ続けた。

　ボローニャにポルティコが多用された理由の第一は、雨や雪の多いこの地の気候のせいである。この下を歩いて人々は濡れずに目的地へたどりつける。第二の理由は、狭い都市の空間を立体的に利用する経済性にある。一階は公道として使われるが、張り出した二階以上は居住スペースとして生かせるというわけだ。また、広場が少ないこの町では、馬車の通行から区分された落ちつきのあるポルティコのスペースがその代用として使われた、というのももっともらしい説である。この町の人の口からは、ボローニャと並び称される古い大学町のパドヴァにも同じようなポルティコが多いことから見て、狭い下宿に住む学生た

ポルティコ(街路沿いの列柱廊)。ボローニャでは、パラッツォ(貴族住宅)にも庶民住宅にも街路に面してポルティコ(列柱廊)がつき、リズム感のある独特の都市景観を生んでいる

ちにとって落ちついてディスカッションにふけることのできる場所としてこれが生まれたのだ、という穿(うが)った説まで飛びだす。

町の中心部の表通りに面して並ぶ壮麗な貴族のパラッツォにも、周辺の庶民・職人地区の質素な住宅にも、同じ原理が見られるのが面白い。ちなみにボローニャで一番長いポルティコと言えば、サラゴッツァ門から始まりサン・ルカ礼拝堂に至るもので(一六七四〜一七三九年建設)、実に六六六のアーチをもち、三五〇〇メートルに及ぶ。

一五世紀末に完成した城壁都市

都市の発展は一三世紀以降も続き、成長する都市の活動は従来の市域に収まりきれなくなり、城壁の外側でも主要な他都市へ結ぶ街道に沿って新たな集落が生まれた。その形成の核となったのは、ドメニコ派やフランチェスコ派の托鉢(たくはつ)修道会である。このような城壁の外側に住む住民を保護するために、第三番目の城壁の建設が開始された。この城壁は、その後の都市の成長を考え、四〇〇ヘクタールに及ぶ広大な土地を取り巻き、内側に草原、菜園等をたっぷり取り込んでいた。

一四世紀後半の経済危機は、一時この自治都市機構を危険にさらしたが、その後コムーネはローマ教皇と組んで、ボローニャに自治行政を取り戻すのに成功した。この時期には市庁舎、第三番目の城壁、巨大なサン・ペトローニオ教会堂等の公共建設事業が活発におこなわれた。

一五世紀には、ベンティヴォリオ家が実権を握り、中世的自治形態からルネサンス的寡頭(かとう)政治への移行が見られた。ボローニャの町は一五世紀の末には人口五万を数え、すでに決定的な形態をもっていた。つづくルネサンス後期、バロック時代にも華麗な貴族住宅の建設は見られるものの、この時代までにボローニャらしい町並みの雰囲気も、ほぼできあがっていたと思われる。

リズミカルに連なる独特のポルティコに沿って町を歩きながら、建築の構成を見てみよう。まず広場や主要街路に面しては、表面を煉瓦で仕上げた格調のある貴族のパラッツォが並んでいる。ポルティコの奥の装飾的な門を入ると、回廊のある中庭に出る。さらにその奥へ進むと、建物の裏手は緑の豊かな庭に続いている。この建築内部に取り込まれた中庭と自然環境そのものの裏庭とをもつ形式が、ボローニャのパラッツォの定型である。ポンペイのアトリウム、ペリストリウムという二つの異なるタイプの庭をもつ古代住宅の形式との類似性がここに見られなくもない。都市内の貴族住宅の設計方法として時代を超えた普遍性をもつということであろうか。もちろん都市化が進んでいるボローニャの場合には、一階に居室が並ぶポンペイとは異なり、居住部分は三、四階建てのパラッツォの二階以上にくる。

敷地の都合で裏手へ庭がとれない時には、玄関ホールから見通せる中庭正面の壁に、フレスコ画で庭のだまし絵が描かれることも多い。これはルネサンス、バロック時代に好んで使われた手法であるが、透視画法（とうしがほう）の効果によってあたかも壁の奥の方へ歩いて行けるかのような錯覚を与えるとともに、描き込まれた自然の風物によって静かな落ちつきを生み出している。

一方、裏通りや周辺部にはいりこむと、黄橙色の漆喰（しっくい）で塗られた小規模な庶民住宅がリズミカルに並んでいる。日本の伝統的町家とも似て、間口が狭く奥行の深い短冊形の敷地の中で、実に簡潔にまとまったプランを見せている。建物の一方の壁に沿ってポルティコと裏庭を結ぶ通路が

回廊のある中庭。内部に美しい中庭をもつパラッツォ（貴族住宅）の多くは、今は行政機関や博物館などの公共建築、銀行や民間企業のオフィスなどに転用され、現代の都市機能を支えている

とられ、その中間あたりに上階に住む数家族のための共用の階段室が置かれる。一階の他のスペースは、普通、道路側では商店や職人の仕事場として、庭側では倉庫として使われる。これらは修道院、貴族などの不動産の大所有者によってまとめて建設され、労働者や職人に賃貸されたのである。

裏庭に出てみるとそこは意外に広い。イタリア都市の内部はぎっしり建てこんでいると考えるのは早計で、中世末からルネサンスにかけて造られた城壁の内側には、たいていの場合空地が広く残り、菜園として耕作されたり庭園として使われていたのである。

その後ボローニャは、ジュリオ二世が一五〇五年に再征服して以来、一九世紀に至るまでローマ教皇の支配下に置かれる。その間、経済的にも人口においてもほとんど同じ状態を維持し、基本的な都市構造に変化は見られなかった。

このことはイタリアのほとんどの都市にも共通している。中世からルネサンスにかけて、華やかな都市文化を築き上げたイタリアの諸都市も、その多くは歴史上の主役の地位をアルプス以北の都市に明け渡すことになったのである。こうして一九世紀の中頃まで、都市は城壁に囲われ、周辺地域との結びつき方、規模のあり方、社会構成の性格などにおいて本質的には変化することなくとどまった。今日イタリアでは、産業革命以前にゆるやかに形成された、独特の個性をもち、まとまりを示す歴史地区をチェントロ・ストリコ（centro storico）と呼び、近代の開発行為の中で破壊されることのないよう、都市計画の中で、その全体に保護の手を差し伸べている。

保存的再生への道のり

イタリアが王国として統一される一八六〇年代頃から、この歴史的都市部は受難の時代を迎える。この頃開始された産業革命後の経済構造のダイナミックな転換の中で、都市と地域の無秩序な開発が進み、歴史的に形成された都市構造と統一ある形態が失われていったのである。

イタリアの近代化は日本のそれによく似ているといわれる。この国の近代国家としての統一と産業革命の開始の時期が、明治維新とほぼ重なっているからだ。こうして他のヨーロッパ諸国に遅れて出発したイタリア諸都市は、統一後今日までの一〇〇年という短期間に、あわただしく近代都市への衣替えをおこなうことになった。急激な開発によってもたらされる歪（ゆが）みもそれだけ大きかったのである。農業経済から産業経済への移行に伴い、ボローニャにもミラノ方面、フィレンツェ・ローマ方面への鉄道が開通し、町北部の城壁の外側に駅が建設された。こうして歴史的都市のアクティビティが高まり、城壁外へ市街地が拡張する一方、新しい社会的要請に応えるため、都市内部の改造が求められた。どのイタリア都市でも、今世紀初頭の一〇年間に、都市壁の倒壊、直線道路の貫通等の町並みの破壊が集中的におこなわれた。ボローニャの旧城壁に沿って歩いてみても、城門はモニュメントとして保存されているとはいえ、城壁を破って作られた両側の広い道路の間にぽつんと孤立し、車の流れに無残に攻めたてられている光景をあちこちで目にできる。

ボローニャでは、一八八九年に最初の調整計画(piano regolatore)が作成された。城壁の外側には、中世的都市構成とは著しい対照を成す幾何学的な道路パターンをもつ拡張部の形成が、古い都市内部には、鉄道駅と主要な地点を結合するための直線道路の貫通や道路の拡幅が計画されていた。いずれも、せせこましい古い町に生きてきた人々の近代都市計画への憧憬そのものであった。幸い現実には、これらの計画は変更を受け、部分的に実現したにとどまった。

一九二〇年代に入ると、歴史地区は交換と消費の場としての役割をもつことになり、新たな行政・商業活動を持ち込むために、古い中心部の街区から労働者の住宅が追い出された。この傾向はファシズムの足音とともに強められた。都市の堅牢(けんろう)な社会的ヒエラルキーの確立のために、古い地区に住んでいた庶民を郊外へ追放し、都市の中心を壮大で権威的に飾りたてる動きが露わになったのである。

戦後の復興から「奇跡の成長」とも言われた経済ブームへ至る一九五〇年代、六〇年代には、農業の衰退、工業の飛躍的発展を背景に、第三次産業の増大が始まった。高度成長の考え方に基づく「発展型都市計画」の陳腐な理論によって、周辺への無制限な成長が続く中で、歴史地区では、中心部が資本の手で銀行、デパート、高級店の建ち並ぶ華やかな場所へ作り変えられるのと表裏一体に、近代化の中で見棄てられた周辺部は老朽化し環境が悪化する、という典型的な都市現象が見られた。こうして歴史地区全体から人口が減少していった。

そもそも古い都市には、あらゆる階層の市民が集まり住み、人間のさまざまな営みが繰り広げられていた。町中に住人がいるからこそ、子ども連れの若い母親や老人を含む、ありとあらゆる世代の市民が、町の中心の広場に出て、陽を浴び、語らうことができたのだし、昼食のために帰宅する習慣が成り立ちえた。町角の露店市場に集まるおばちゃんたちのにぎわいも、夏の夜の広場に残る恋人たちのざわめきも、イタリアの古い町のもつ複合的な味のある環境にとって欠かせないものである。従来の都市のしくみに変化が起こり、多くの住民が郊外へ転出し始めたことは、イタリア都市からあの人間的魅力そのものを根こそぎ奪ってしまう危険をはらんでいたのである。

問題は日本でも共通している。東京や大阪のような近代都市は言うに及ばず、京都や奈良のような古い町でも、住民が町の中心から郊外へ転出し続けている。そこでは、古い建築や町並みの物としての環境が破壊される前に、都市文化を支えていたはずの社会的環境の方が崩れつつあるとさえいえる。伝統的商売の衰退、核家族化の進行などがその主な原因となっているのだ。

一九六〇年代末には、丹下健三氏の近代主義的な「ボローニャ計画」が話題をまいた。それは、大きく発展する都市を予測して、歴史地区の外側に新しいセンターを創り、自動車交通によって両者を有機的に結びつけながら地域の再構成をはかる、という内容であった。これは七〇年代にはいって、都市財政を苦しめ都市と地域の混乱をいっそう深める、という判断に基づき見直され、大幅に縮小されることになる。

一方、郊外へ発展・拡大した近代の都市の中で、大きさの上でも機能の上でも単なる一つの「部分」へとなり下がっていたボローニャの古い都市部を保護し修復・再生させる考え方が、一九六九年の調整計画の中に初めて採用された。古い都市全体が保存されるべきモニュメントであり、それを構成するすべての建物に保存的修復の原則が適用されることになった。

ボローニャの町をぐるっとまわってみても、ここには建築史的に見て著名な建物が多いわけではない。それにもかかわらず、建築全体が構成する町並みの品格の高さは他の町を凌駕している。落ちついた色調、つぶぞろいの建築、ポルティコによる統一感、塔によるアクセント……、それらが全体としてボローニャらしい風格のある都市環境を構成しているのである。

このような性格をもつボローニャの町の保存には、ローマ、フィレンツェ、ヴェネツィアのような観光的要素はまったく見られない。ここでは、市民にとっての住みやすい都市環境の保全こそが最大の目的とされているのである。しかもこの町の保存は、水没で騒がれたヴェネツィアや、地震後の復興をきっかけとしたアンコーナの場合のような、緊急事態に触発されて始まったのではない。住民内部の都市計画の転換を求める声に呼応して、自治体が積極的に保存を選択したというわけなのだ。ボローニャの都市行政の真価はまさにそこにある。さらに現在では、人口増大を抑制し、都市の膨張をストップさせながら、むしろ逆に歴史地区の再生事業に公共投資を振り向けることによって、歴史地区に地域全体の制御(せいぎょ)された発展と文化の形成の中心としての役割を取り戻させる、という都市政策が確立されつつある。

ボローニャの中心マッジョーレ広場に面する、ゴシック様式の市庁舎の二階にある都市計画局を、私は何回となく訪ねた。そこには、ヴェネツィア建築大学の友人の一人マッダレーナ嬢のハートを射とめ亭主の座についたヌッチョ君も、重要なスタッフとして働いていた。自治体の建築家と言えば、公共主導型の都市計画が確立されつつある現在のイタリアでは、花形的存在なのである。このオフィスで私は、ボローニャの都市計画の立役者である自治体の建築家チェルヴェッラーティ氏と親しくなる機会に恵まれた。大きな都市計画の図面に囲まれた部屋で、彼は巧みにスケッチを描きながら、このボローニャがおこなった都市政策の転換の内容と、その革新的意味についてわかりやすく説明してくれた。このチェルヴェッラーティ氏はいまやヨーロッパ中に名前をとどろかせているが、近いうちにボローニャ市長の椅子を狙うのでは、という噂さえある。

人間を町の主役に戻す住宅再生計画

ボローニャの保存的都市計画の柱をなすものは二つある。一つは、歴史地区内部の老朽化した建築遺産を修復し、ローコスト庶民住宅(といっても日本の住宅と比べるとかなり水準は高い)として再生・再活用することであり、他の一つは、歴史地区に住む住民にとっての社会サービスのための施設を再組織することである。いずれも住みやすい魅力のある都市環境の形成にねらいがある。

高度成長期が終焉を迎える頃まで、どの先進国でも庶民のための公営住宅は、常に地価の低い都市の周辺区域の田園をつぶして建設されてきた。その中でボローニャは、一九七二〜七三年に初めて歴史地区の中に「ローコスト庶民住宅計画」を採用し、文化的にも経済的にも価値をもちながら、近代化の中で見棄てられ老朽化していた古い街区をよみがえらせる事業を開始した。歴史的・芸術的価値を尊重する文化的行為としての保存を、住宅供給事業という社会・経済的行為と絡めて提出したところに革新性があり、市民に受け入れられる素地をもっていた。

老朽化が激しく、放置しておけば破壊・再開発の危険のある一三の区画が対象に選ばれ、事業の第一段階では、その五つの区画に着手することになった。それらの対象区画の大半は、第二城壁と第三城壁の間にあり、歴史的にも周辺の庶民住宅地区として形成されたものである。保存的再生事業を第一級の文化財としての建築からではなく、老朽化した庶民住宅から始めるところに、彼らの政治姿勢がよく表われていよう。それがまた、保存に対する市民の絶大なる支持を得る秘訣でもあった。

ボローニャの都市行政の最大の関心は、これまで資本による都市改造のメカニズムの中で郊外へ追い出され続けてきた住民の側が逆に、歴史的都市部を取り戻すことにある。人間が都市の主役へ返り咲くこと、それこそがこの町の保存の最大の動機となっているのである。したがってボローニャの歴史的建物の修復・再生事業では、従来の住み手を追い出し社会的組織の変化をもたらすことになる建物の構造、建築タイプ、用途の変更は原則として認められない。こうすれば、再生後の価値の高まった庶民地区へ進出しようと狙うデパート、スーパーマーケット、オフィス、上層階級の豪華な住宅に対して効果的な歯止めをかけ、住民が築いてきた生活文化を持続させることができるというわけだ。

再生事業のためのスタディと計画作成は次のような手順でおこなわれる。まず一軒一軒を丁寧に調べて、どのようなタイプの住宅がどのように並んでいるのかを明らかにする。私も、サン・レオナルド地区とソルフェリーノ地区の修復前の住宅をつぶさに見てまわった。数百年の齢をもつこれらの家屋は、メインテナンスが悪く、朽ちゆくままに任されていた。壁はぼろぼろに剥げ落ち、湿気臭い内部のうっとうしさには耐えがたいものがあった。しかし、建築の構成からするとなかなかうまくできていて、独特の環境を作っている。すなわち、各建物は道路側にはリズミカルなポルティコをもち、間口の狭い敷地の奥へ向かって細長く伸びる。そしてその片側にとられた通路が階段室と裏庭へ連絡するというものである。階段室と中庭の置き方によっては、奥へ何室もとることが可能であったし、二棟を合体して再構成した建物も数多く見られる。一度作られた建物は、その後こうして奥や上へ、さらに時には横へと生き物のように自在に成長したのである。これらの有機的な成長のプロセスを建築類型学(ティポロジア)的

環境が悪化した庶民地区。再生の対象に選ばれる

に解明することが、再利用のための前提として欠かせない。近代の増築部、改造部によって環境が悪化していると判断できる場合には、それを撤去し、安定した類型にまで復元する。

次にその分析に基づき、各住居ユニットの配列と機能の再構成が計画される。そのためにはまず、現在の住まい方の実態が細かく調べられる。修復後、各家族にとってよりよい居住条件を保証するために、部屋不足に悩む家族とあり余っている家族の間の住み替え、あるいは部屋の再分配が積極的におこなわれるからである。こうして、すべての住宅に適正な密度で住民が再入居し、すぐれた居住環境として再出発するのである。一般にこのような見棄てられた庶民地区は、全体として過疎化傾向にあるから、その不足分は学生用アパートにあてられる。このような広い範囲で面的におこなわれる修復・再生事業は、そこにある「もの」とそこに住む「ひと」を生かした真の再開発と呼ぶべきものであろう。

しかし、このようなダイナミックな人の動きを日本の歴史地区の再生に持ち込むのは容易ではない。多くの人がアパートを借りて住むヨーロッパの事情とは異なり、日本の場合、庭つき一戸建ての家に代々住み続けている人々は、自分の不動産の変更にたいしていい顔をしないからである。歴史的に形成されたそれぞれの国の住意識に見合った解決法が探究されなければならないだろう。

ボローニャでは数多くの経験から、内部の再構成と近代的設備の導入によって伝統的住居形式が現代生活の要求に十分応えられる、ということが確認されてきた。家族構成に応じて、二フロアーを合わせて使用するメゾネット形式の大きな住戸（一〇〇～一三〇平方メートル）、階段室をは

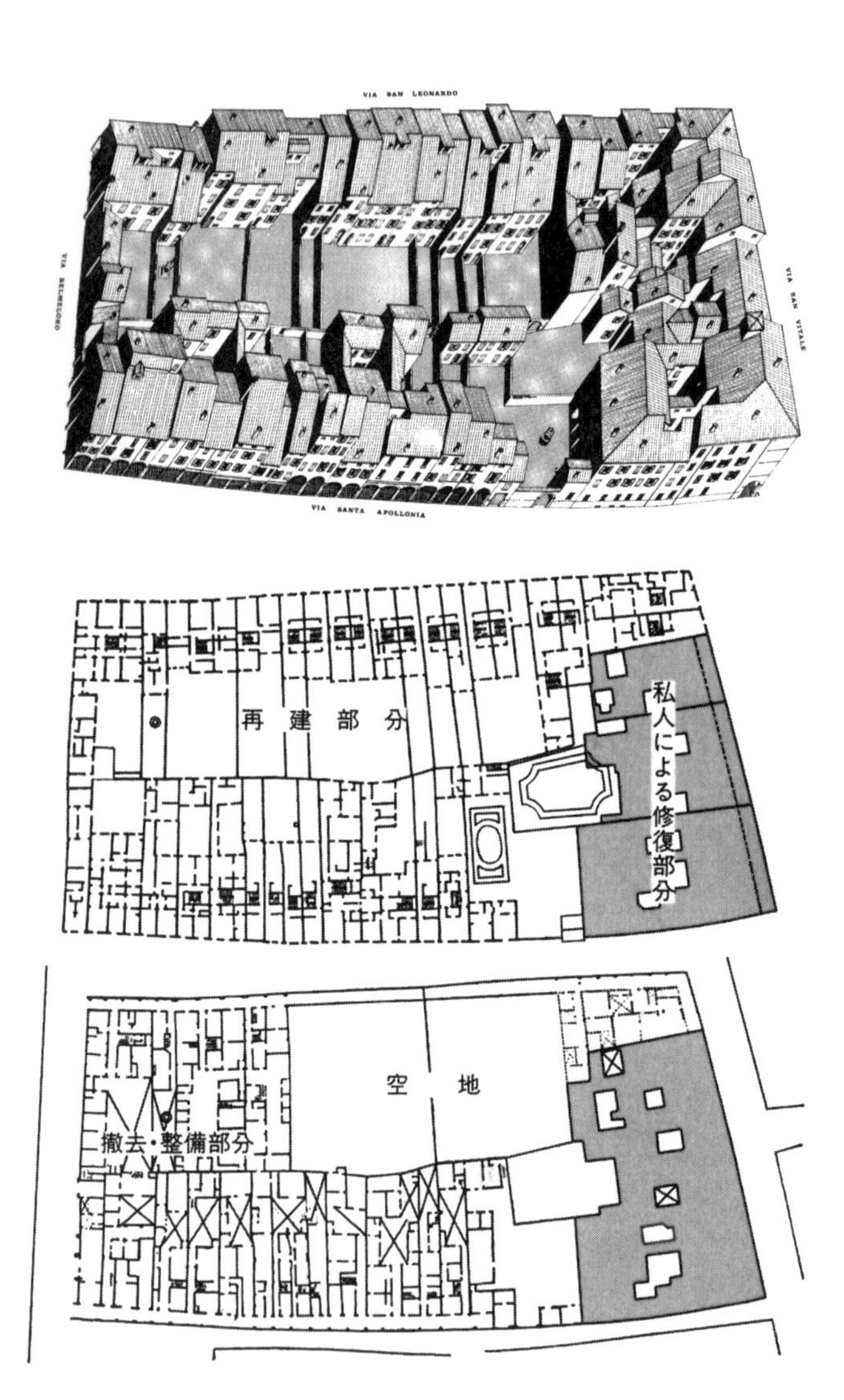

サン・レオナルド地区の再生完成後の予想図と平面図と現状平面図。間口の狭い奥へ伸びる庶民的な集合住宅が連なる街区であり、環境を悪化させていた裏手の増築部分を撤去して空地を確保する一方、歯抜け部分に伝統的形式の住宅を再建する

さんでフロアー全体を占める一般の住戸（六〇～八〇平方メートル）、道路側か裏庭に面する一部屋の小さな住戸（三〇～四〇平方メートル）という具合に、さまざまな部屋の組み合わせ方が計画される。それぞれのタイプについて、内部のモデルプランが作成され、モダンで快適な生活のイメージが市民の誰にもわかるように図面に描き出される。計画内容に対する住民の理解を得るために市当局がおこなう広報活動には、目を瞠（みは）らせるものがある。こうして今では、郊外の画一的なアパート建築よりも、調和を保ちながらも一軒一軒が異なる表情をもつ伝統的住宅の方が、市民の間で人気が高くなってきている。

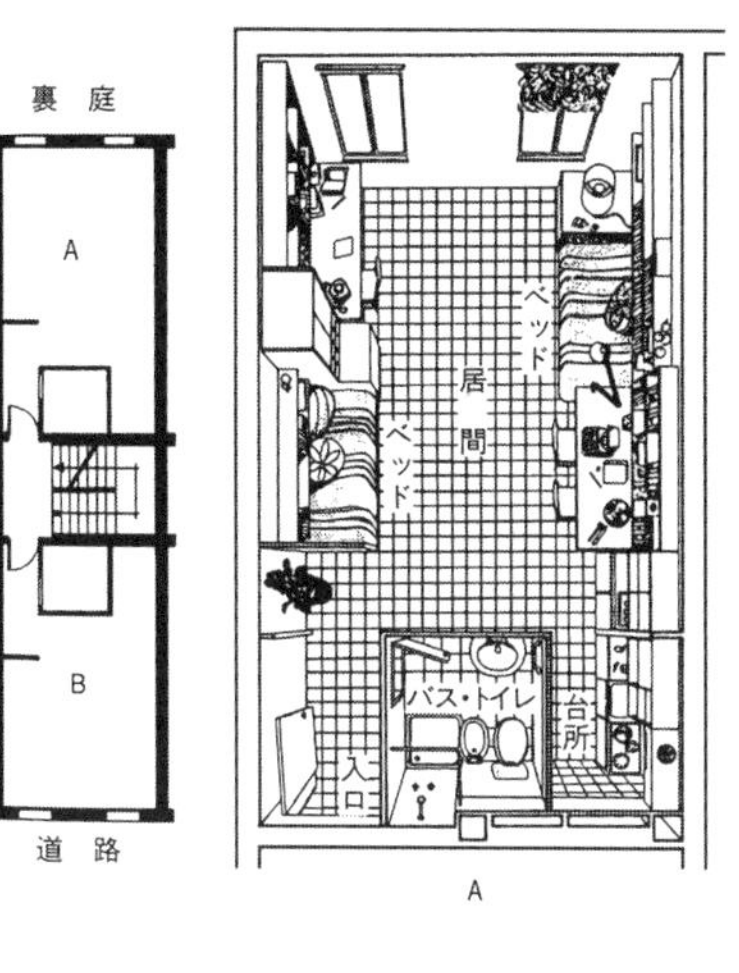

住宅再生モデルプラン（2人用住戸）。歴史的な建物も修復再生することにより、快適な現代生活の魅力的な器としてよみがえる

仮設的建物で占められたり放置されて荒廃している裏の空地を再整備して、すぐれた環境を取り戻すと同時に、そこを街区全体の中央集中式暖房の配管のためにも有効に利用する。また住宅のみでなく、一階には商店、職人の仕事場が整備され、さらに住民にとって身近に必要な保育園等の小規模社会施設が確保される。

住民参加のボローニャ方式

そして住民を保護する立場から、次の二つが考えられる。まず、長期にわたる修復工事期間中も、住民が帰属するコミュニティの内部に住み続けられるよう、なるべく近くに一時的な仮住居が作られる点である。例えばサン・レオナルド地区などでは、事業の第一段階で、戦時中の爆弾投下で破壊されそのまま空地となっていた場所に伝統的な形式に基づく住宅が再建され、それがこの仮住宅にあてられる。その後、修復対象家屋の人々が順次入れ替わりここへ住むというわけだ。こうして子どもたちは転校に伴う仲間はずれの経験をしなくてすむし、環境の変化についていけない老人たちにも、修復事業を好意的に受けとめてもらえる。

このような周辺地区は、過疎化と同時に高齢化の問題をもつ。漆喰がみすぼらしく剝げ落ちたあちこちの窓辺には、孤独をまぎらそうとするかのように道行く人々を終日じっと眺め続ける老人たちの顔がある。したがって事業は、今日まで顧みられなかった、歴史地区の安アパートに細々と住むこれらの老人たちをも保護する形で進められる必要があるのだ。

もう一つは、再生された住居の中に元の借家人が適正な家賃で住み続けることを保証しようとしている点である。これまでどこの町でも、保存の美名のもとに修復がおこなわれても、実はその後の家賃のつり上げによって借家人が追い出されることが多く、金持ちでなければ町中に住めないという現象がますます強まっていた。ボローニャでは、市当局と家主の間で協定が結ばれ、借家人組合の提案に基づいて定められた公正な家賃の遵守が義務づけられる。一方家主にたいしては、公共財政の側から一定額が援助される。修復への助成金も家主の経済状態に応じて決められ、場合によっては全額をカバーすることもありうる。こうして借家人も家主も、都市の使用者として保護されるのである。

この事業の財政負担は、イタリアでの公営住宅供給のための住宅法とよばれる法律八六五号に基づき、自治体・州・庶民住宅局（IACP）三者の協約によって定められる。

これらの住民の生活権と深く結びついた根気のいる困難な計画事業を支えているのは、各地区に設けられた「評議会」を通しての住民の民主的な政治への参加である。ここで住民の意志がまとめ上げられ、計画へ生かされる。また市の行政当局の提案する方針にここでノーという結論がでれば、それを押し通すことは一切できない。各自治体が中央政府にたいして大きな独立性をもつイタリアにあって、さらに都市内の各地区に自治体当局にたいする独立性をもたせようとするのであるから、イタリアの住民の力がいかに強いか想像できよう。

ボローニャによって確立されたこの「地区主義」とも言うべき都市行政のあり方は、住民参加の画期的な方式として他の西欧諸国の注目を浴びている。もちろん各政党も積極的に地区評議会に介入するが、今では保存事業にたいする基本的な考え方にそれほど大きな違いはないと言う。

こうして「ローコスト庶民住宅計画」は、経済不況にあえぐ今日にあっても、プログラムにしたがって積極的に推進されている。工事開始から一年を経過した一九七六年一〇月現在で、五つの第一次計画区域内部に修復中の住民のための仮住宅が完成したのに加え、一部の地区では修復が終わった住居に元の住民が入居を始めつつある。現在二〇〇以上の住居が修復工事中であり、さらに学生のための一五〇部屋の宿泊施設の工事は仕上げの段階に入ったという。ボローニャに限らず古い大きな町ではどこでも、大学関係施設の整備に努めている。文化の形成にとって町の中に大学があることが必須の条件であるという彼らの考え方を、日本での大学の郊外転出推進論者の諸氏はどう受けとめるであろうか。

この目で見た都市の思想の方向転換

これらの住宅供給と並行して、歴史的都市内の豊かな生活を支え文化を創造するための核として、修道院などの歴史的建造物の集合体を修復・再生し、地区に密着した社会施設を創り出す事業も進んでいる。これらの建物はモニュメンタルな性格をもち、ボローニャの町の姿を特色づけていたが、カトリックの力の凋落とともに宗教的機能を失い、転用されたり放置されているものが多かった。市当局はそれらを買い上げ、単に過去の貴重な民族的遺産として保存するだけではなく、これからの文化的発展の生きた回路の中に再び入れようと試みているのである。そこには市民生活に必要な教育、福祉厚生、文化、レクリエーションなどの機能が持ち込まれる。

サンタ・ルチア教会の建築複合体もその一つである。教会堂、修道院、スクオラ（同信組合）、サン・ルイジ神学校が隣接するこの一角では、どの建物も転用されたり放置されて、環境は著しく悪化していた。計画では、各建物の修復・再構成と屋外スペースの整備をおこない、地区の生活施設に加えて、演劇・音楽を中心とした芸術・文化活動のセンターとしての役割がここに与えられる。今はまだ足場が組まれただけのこの薄汚れた建築群にも、何年か後には若い世代の自発的な活動が満ちあふれるはずである。

修道院のような歴史的大建築をそのまま近代的機能をもった社会施設へ転用できるヨーロッパは、非常に恵まれている。古建築の再利用によって、現代建築顔負けの市民に親しまれる使いや

◀ボローニャ都市再生事業の現場。修復再生される歴史地区の住宅群は、背後に共有の庭をもち、郊外の新興住宅地に比べヒューマン・スケールの落ちついた生活空間を住民に提供できる

すい建築環境を実現できるのだ。その点、大建築として寺や神社しかもたない日本の場合、現代の社会生活にとって歴史的なものをそのまま生かしにくいところに悩みがある。

以上のような、ボローニャが展開している既存の建築遺産の保存・再利用の政策は、文化的要請に応えるばかりか、経済的観点から見てもうまい話である。

これまでボローニャでも、住民が老朽化した歴史地区を棄てて郊外へ転出し続けたため、その既存の環境が荒廃し無駄遣いとなる一方で、新たに必要となる公共投資の増大が自治体の財政を圧迫してきた。郊外に住宅地を建設するためには、それに伴う基盤整備コスト（上下水道、電気、道路）、副次的コスト（託児所、幼稚園、学校、公園、スポーツ施設など）、さらに行政サービス・コスト等の負担が加算されるからである。一方公共事業としての修復に基づく住宅供給の場合、これらのコストは少なくてすむ。市当局のおこなった比較によれば、郊外地区に建設中の庶民住宅の場合、住民一人当たりの建設費用は交通機関の整備費を除いても七八〇万リラ（約二六〇万円）に及ぶのにたいし、歴史地区内の修復の場合、六三〇万リラ（約二一〇万円）にすぎない。しかも、これまでの事業は、戦災で破壊されていた部分の再建や老朽化のひどい建物の修復が多かったのに比べ、今後、大規模におこなわれる一般的修復工事ではコストはさらに安くなることが見込まれている。

このように、ボローニャの歴史的都市の再生計画は、都市の膨張を制限し、市の行政当局の赤字の増大をくい止めることにつながる。保存がここでは、都市と地域の社会的・経済的バランスを回復するための戦略として位置づけられているのである。経済不況、食糧危機、エネルギー問題など深刻な事態を迎えた今、ボローニャが選択した方法によって、果たして豊かな都市環境と市民生活を維持し、あるいは蘇らせることができるかどうか……。これは、現代文明の行く手を占う一つの重要な試金石であろう。

私は一九七六年九月、再生工事の鎚音の響くサン・レオナルド地区を再び訪ねた。修復中の仮住まいのために建設された住宅には、あちこちから数多くの家族が移り住んでいた。隣のブロックから家族五人で移転し、三、四階を広々と使っている郵便局員のゴリーニ・ファウストさんは、「しっとりとしたこの古い町に生まれた以上、新しい郊外へ移るよりも、今まで通りの地区に住みたい。画一的な高層の近代的アパートに比べ、伝統的住宅は一軒一軒味があり、裏庭もくつろぎを与えてくれる」と語ってくれた。伝統的形式によりながら内部をモダンに仕上げた明るく広いこの住宅に入ってみると、仮住まいのこの家が気に入ってもう動きたくないという人々が続出し、計画の一部変更が余儀なくされているという話も、なるほどとうなずけた。もっともその人たちにしても、自分の元の家が同様に快適な住環境をもったモダンな住宅として蘇るのを見れば、わが家へ戻ろうという気

再生された庶民地区のコミュニティ。
多世代が住み、活気が戻る

持ちになるに違いない。

　ここでは住民の誰に尋ねても、きめの細かい努力を根気よく続ける市当局の都市行政に対して全幅の信頼を寄せている、という答えが返ってきた。都市の思想の方向転換が着実に進展しているのを目のあたりにして、久方ぶりの感動を覚えながら、私はボローニャを後にした。

終章　イタリアの輝きがまた戻ってきた

ヴェネツィア――車のない歩行空間と水辺都市のモデルに

自分にとっての第二の故郷ともいうべきヴェネツィアには、その後もたびたび戻る機会があるが、外見上、変わらぬようでいて、実はこの町も、その内部で大きな変化を見せてきた。冬場を中心にしばしば浸水するアックア・アルタ（高潮）の現象に悩まされながらも、都市としての魅力はますます高まっている。世界中が、近代化、そしてグローバリゼーションが進み、歴史や個性を失っていくなかで、水の上に浮かぶ歴史に包まれたヴェネツィアの個性はますます輝き、人々をよりひきつけるようになった。車の入らない人間に開放された都市空間が、どれほど快適で居心地がよいか、人々はヴェネツィアから学んだ。今やイタリアやヨーロッパの各地で歩行者空間化が進み、都心に市民が繰り出して、華やぎが戻ってきた。車のない中世にできた旧市街は、人々が語らいながら歩き、振るまうのに最適の空間なのだ。ヴェネツィアがある意味で、八〇年代以後の都市づくりのモデルにもなった。世界や日本の都市でのウォーターフロント再生の動きにも、ヴェネツィアの魅力ある水辺のイメージが大きな影響を与えたに違いない。

保存・再生という考え方は軌道（きどう）にのり、ヴェネツィア再生のために、巨額のお金が投資され、今やその修復事業は建設市場の重要な部分を占めているという。立派な邸宅や街角の個性ある建物が次々に蘇る。魅惑的なヴェネツィアはまた、外国人やミラノなど大都市の金持ちにとって、セカンドハウスをもつのに恰好（かっこう）の町でもある。修復され、小綺麗（こぎれい）になった建物の窓辺には、かつて以上にカラフルに花が飾られ、優雅な都市風景を生んでいる。
だが弊害（へいがい）もある。こうして不動産の価値が上がると、日常生活を支える食料品の店や庶民的な居酒屋の数が減り、高級な店舗やレストランに変化してしまう。一種のジェントリフィケーション（優美化）だ。当然、地元の若い人たちには、古い島の中の住宅は高根の花となり、安くて便利な本土側の町への転出を促してしまう。一方で、周辺地区の裏手には、修復にお金がかかるから放置され、住む人もなく、扉を閉めっぱなしの建物もあり、活気を失っている所もある。島部の人口は、二〇年前の九万から七万に減ってしまったようだ。観光化があまりに進み、真の生活文化が失われ、ディズニーランド化することをヴェネツィアの人々は常に警戒する。

　とはいえ、日本の都心に比べれば、まだずっと市民の暮らしがある。広場で遊ぶ子どもたちの歓声に驚かされることが、今なおよくある。子どもたちには、車のない治安のよいヴェネツィアは天国だ。しかも、この町の複雑な迷宮構造（めいきゅうこうぞう）が、実は、観光客が住民の生活空間の隅々まで侵入するのを妨げているように見える。外国からの大勢の商人や旅人が出入りする交易都市だった中世にも、すでに同じことが言えたのであろう。迷宮都市であることが人々の生活を守っている。それはアラブ都市とも共通する。

　注目すべき変化の一つは、私の下宿に近かったサンタ・マルゲリータの広場に見られる。ゆがんだ面白い形をし、かつて庶民的な広場として魅力をアピールしていたこの広場が、十数年前から、若者たちの集まる洒落たスポットとして人気を集めているのだ。夏場は広場にカフェ、ビアホールがテーブルをぎっしり並べ、深夜まで歓声が響く。本土側の新しい町からも、若者たちが橋を越えてわざわざこの広場にやってくるという。歴史の記憶につつまれたエレガントな場所が、近代の薄っぺらな空間よりも人々をひきつける時代がきたのだ。

もう一つの面白い変化が、いくつもの広場に見てとれる。私の留学時代には、広場には、あまり樹木は目立たなかった。むしろ広場として多目的に使うには、木々は邪魔になる。ところが、緑の思想がこの水の都にち強まったとみえ、積極的に植樹され、それらが時とともに大きく成長した。今や、緑鮮やかな広場も少なくない。その木陰にはベンチも置かれ、地元のお年寄りに人気がある。ちょっとした様変わりだ。歴史的には、生活広場としての「カンポ」はその名のとおり、菜園が広がって、樹木のある空き地からスタートしたのであり、その後の都市発展で人工的な広場に発展した場所が、今また自然の緑を取り込む空間になりつつある、というのも、時代の流れとして面白い。いずれにしても、人々の暮らしにおける広場の重要性は、現在も変わらない。

ボローニャ——保存再生が経済の活性化に

歴史的街区を修復・再生し、都市を市民の手に取り戻すというボローニャの公共事業は、大きな成功をおさめた。古い都心に住むことの価値を大勢の人たちが理解し始めた。民間の事業者もまた、こうした歴史的建造物の修復・再生を手がけ、よりお金をかけた個性的でエレガントな住宅が供給されるようにもなった。もはや郊外にではなく、「チェントロ・ストリコ」と呼ばれる城壁の内側の歴史的街区に住むことの方が、恰好がよいという価値の逆転が起こってきた。しかも歩行者空間化が進み、快適に町歩きが楽しめる。都心が魅力を再び獲得し、都市に求心力がよみがえってきたのだ。こうした現象がイタリア各地に広がった。都市の魅力を誰もが享受するようになったのである。郊外発展と裏腹に、中心部の商店街や盛り場がさびれ、求心力を失っている日本の地方都市にとって、学ぶことが多い。

ボローニャのこの都市政策は、歴史的な地区の小さな工房で働く職人や小売商をサポートし、古い町の魅力をよみがえらせるのにおおいに貢献したのである。イタリアでは、七三年のオイルショックで、大企業が集中したミラノ、トリノ、ジェノヴァを結ぶ産業の三角地帯が大打撃を受けたのち、むしろエミリア・ロマーニャ州、ロンバルディア州、ヴェネト州など、中小企業が無数に存在するイタリア中北部の産業が急速に発展し、八〇年代以後のこの国の経済や文化を支えている。職人のモノづくりの精神が、歴史をもったヒューマン・スケールの都市や地域の空間の中で再び躍動し始めた感がある。その意味では、ボローニャから始まった都市の保存再生事業が、結局はイタリア経済の活性化にもつながったということもできよう。

チステルニーノ——底力を発揮する南イタリアの小さな町

近年、南イタリアへの関心が日本でもおおいに高まっている。シチリア、ナポリ周辺のカンパーニア地方、そしてさらにわがチステルニーノのあるプーリア地方にも、日本の方々が足を延ばすようになってきた。それもそのはずで、地中海に突き出した南イタリアは、さまざまな民族が行き交い、多彩な文明がもたらされ、歴史の層がいくつも重なった面白さを見せる。異文化が混じりあった町の表情は見ていて飽きない。そしてまた、古い文明を基層としてできあがってきたヴァナキュラー（土着的）な町や村の美しさも、この地方ならではのものだ。

私にとって、留学時代にチステルニーノと出会ったことは、大きな宝となった。南イタリアを深く知る足がかりになった。建築や都市空間の魅力ばかりか、オリーブオイル、ワイン、そして新鮮で豊富な野菜や果物。プーリア地方の文化の奥深さは、いつも私を虜（とりこ）にする。その南イタリアのワインやオリーブオイルさえも、日本で評価されはじめたのは、私にとってうれしいことだ。

精力的にチステルニーノを調査していた七〇年代中頃、まだスイス、ドイツ、アメリカ、あるいは北イタリアのミラノやトリノに移民で出ていく人たちが多かった。夏休みに訪ねると、故郷に帰省する人々であふれるにぎやかな光景に驚かされたものだ。イタリアの南北格差がまだまだ深刻な時期だった。

だが、九〇年代に入って、南イタリア各地を再び調査でまわってみると、移民で出ていった人々が、もはやリタイアし、蓄えた財をもって故郷の町に戻り、悠々自適の生活をしている姿をよく見るようになった。若者は、ナポリやバーリなどの南イタリアの大都市で学び、働くことは多くても、かつてほど外国や北イタリアにまで出ていかなくなった。地域の力が強まっているように見える。南イタリアも底力を発揮し始めているといえる。

チステルニーノでの調査は、私にとって、イタリアの田園の素晴らしさを知る機会でもあった。町の中心に住む多くの住民が、ゆったりと起伏が連なる美しい田園にも田舎家をもち、農作業に、そしてセカンドハウスとして活用し、生活をエンジョイしていた。都市と田園が有機的に交流する。これがイタリアの大きな特徴だということがよくわかったのだ。南イタリアではそれが特に、今なお生きている。

七〇年代にイタリアで大きく広がったチェントロ・ストリコの再評価は、八〇年代には、都市の外側に広がる田園風景の再評価にまで広がった。それは、生産性の高い農業を促進し、グルメ文化と結びつく質の高いワイン、食材を生むと同時に、アグリトゥリズモの隆盛をもたらし、経済活性化につながった。中北部から始まったこうした動きは、南イタリアにも及んでいる。南イタリアのチェントロ・ストリコの再生への動きも、確実に進んでいる。

九一年の夏、市長となった友人の郷土史家、クイリコ・プンツィ先生が、保存再生をテーマとする「まちづくりシンポジウム」を企画した。私が一五年も前に撮っていたスライドはどれも貴重だから、それを使って基調講演をしてくれと頼まれ、旧友のためにはせ参じた。外国人の新鮮な目でとらえたチステルニーノの「都市と建築を読む」私の話に、地元の人たちは熱心に耳を傾けてくれた。

イタリアの輝きがまた戻ってきた

イタリアが大きな輝きを再び発するようになるのは、八〇年代に入る頃からである。デザインに、ファッションに、そして料理に、イタリアの生活文化は世界の人々を魅了するようになった。いずれもそれは個性をもった都市と地域を舞台に展開するものであり、それぞれの地方での自然・風土や歴史の厚い経験が活かされ、それらが底力となって創造的な文化を生み始めたのだ。そこには人々の歴史的な想像力や美的な感性が生きている。

こうした個性派、イタリアの生き方を大きく方向づけたのが、七〇年代であったと思う。その時期の都市と建築のあり方を、イタリアに住みながら、内側から観察し、描き出すことにチャレンジしたのが、『イタリア　都市と建築を読む』である。現在のイタリアの社会と文化をより深く理解するのに、この本を手にとっていただければ幸いである。

＊本章は、文庫版『イタリア　都市と建築を読む』として刊行する際に加筆したものである。

あとがき

どうやらイタリアに関する世評は、完全に二つに分かれるようである。一方に熱烈な愛好者がいるかと思うと、他方には頭からけなす人々がいるのだ。それだけこのイタリアという国には、強烈な何かが秘められているのだろう。

おそらく、イタリア嫌いの方は、本書をお読みになって、イタリアへの思いいれがあまりに大き過ぎる、と評されるであろうが、それにたいして私は次のように言うつもりである。「イタリア滞在中にかの悪名高き詐欺(さぎ)や鉄道ストにあったからといって、ひどい国だと頭ごなしに決めつけ、それ以上この国の素晴らしさを見ようとしないのであれば、その人にとって人生における大きな不幸である」と。多少おおげさに言えば、この国は生命の躍動感、生活の充実感とはいかなるものかをわれわれに教えてくれるのだ。そんなことを口にすると、周囲の友人から、お前はずいぶんオプティミストになったものだ、と冷笑されそうだが、それもまた今のような混迷の時代には悪いことではないと考える。

この本は、一言でいえば、私の体験的イタリア都市論である。生活実感とフィールド調査の結果に基づきながら、イタリアの町のもつヒューマンな都市空間の魅力を明らかにし、同時に、それを読み取っていく調査の面白さを語ろうと努めた。さらに、イタリアにいる間に私自身の内に起こった自分の関心、考え方の変化の軌跡を追いながら、現在のイタリアで確立しつつある都市にたいする新しい思想の内容とその意味を書いてみた。

それにしても、一〇〇〇年にも二〇〇〇年にも及ぶ都市形成の歴史をもち、今日なおそれに依拠した活発な都市生活が見られ、しかも古い町を生かしながら新しい社会をつくるためのヴィジョンが形づくられつつあるイタリアという国は、私のように建築と都市を考える者にとって申し分のない対象である。研究は単に過去の栄光としての都市文明を調べることに収束しはしないし、逆に現在の新しい動向を分析するにも、近代の政治経済事情からの皮相的な説明に終わらず、その背景にある豊かな歴史から説き起こすことができるのだ。石の文化と木の文化の違いはあっても、イタリアはわれわれにとって、都市の本質とは何か、を考える上で有効な示唆を与え続けてくれる。本書のタイトルは結局、今日のイタリアに人間のための都市の再興を見いだせる、という意味で『都市のルネサンス』となった。そこには、混乱に陥っている日本の都市が何とかなってほしい、という願望もこもっている。

このささやかな本を著わすきっかけは、中央公論社の岡部昭彦さんとの、日伊間を結ぶ楽しい書簡のやりとりから生まれた。イタリア滞在中に、日本から送られてくるこのさわやかな刺激に促されて、雑誌『自然』に二つの小文を寄せることができた。(「水都ヴェネツィアの成り立ち」七五年五月、「ローマに集う建築保存の若者たち」七六年九月)。そして帰国後さっそく、岡部さんと中公新書編集部の永倉あい子さんから、あなたのイタリア都市調査の体験は貴重なものだから、感動の冷めぬうちに新書としてまとめてみたら、と勧められ、このような形で体験的イタリア都市論を書かせてもらうことになった。執筆中、このお二人はもちろん、編集担当の青田吉正さんにも、内容の方向づけの上で貴重な助言をいただいた。これらの方々の暖かい励ましによって、熱の冷めぬうちに何とかこの本を書き終えることができた。心からお礼を申し上げたい。また、私の留学に際し、懇切な指導・助言をいただいた稲垣栄三、芦原義信、田島学の三方をはじめとする諸先生、ローマ・センターでの研修のためにお骨折りいただいた関野克、岩崎友吉両先生、イタリアで日頃教示いただいたエグレ・レナータ・トリンカナート、パオロ・マレット、マルチェッロ・ヴィットリーニなどの諸先生にこの機会に感謝の意を表したい。さらに私の調査に快く協力して下さったヴェネツィア、チステルニーノ、ボローニャの市民の方々、ならびに別府貫一郎画伯をはじめヴェネツィア、ローマ生活中にお世話になった皆様にもここに厚くお礼申し上げる次第である。

陣内秀信

一九七八年四月

時代は「テリトーリオ」へ――「増補新装版あとがき」にかえて

私のまさにイタリア研究の出発点、原点とも言える『都市のルネサンス――イタリア建築の現在』（中公新書、一九七八年）が刊行されて、すでに四三年もの長い年月が流れた。大学院博士課程の頃の二〇代後半に、イタリアに三年間留学し、この国の魅力ある都市の調査研究に没頭した経験を綴ったものだ。

複雑に出来上がったヴェネツィアのような歴史都市がどんな風にしてできたのか、どのような特質があるのかを解き明かす研究というのは、機能性や効率を求め近代化を邁進してきたそれまで日本の建築界、都市計画の世界には、まったく存在しなかった。しかもイタリアでは、早くもその頃から、こういう歴史的な町の魅力を蘇らせる都市再生の先進的な事業の素晴らしい成果が、ボローニャをはじめ各地で生まれていたのだ。夢中になって学んだこうしたイタリアの歴史都市の研究方法、そして近代を乗り越える都市再生の思想と手法について、若さにまかせて執筆したのが、この思い出深き中公新書だった。古い都市が蘇るさまを目の当たりにした新鮮な驚きから、『都市のルネサンス』という題名も自然な形で思いついたのだ。

その後における日本の都市の激変ぶりはすごいが、イタリアの都市もまた大きく変化してきた。

しかも、興味深い変化の軌跡を着実に見せてきた。その動き、後の時期の新たな都市再生の理念と方法については、色々な段階で執筆してきた。イタリアの八〇年代以後の都市や地域の動きには、注目すべき点が実に多く、とりわけ日本が目指す地方創生といった方向を真剣に考えるのには、大きな示唆をそこから得ることができる。

そのことも意識しながら、ここでは、我が『都市のルネサンス』に当時、思いを込めて書いた内容が、今日から見るとどんな意味があったのか、現在の我々にとってどういう価値を語ってくれるのかを振り返ってみたい。

＊

今から考えれば、私が留学し、体験した一九七〇年代のイタリアは、次に到来する八〇年代の再びイタリアが輝く時期へ移行するための生みの苦しみの頃であり、脱皮を迎えるための準備期間だったと言える。経済破綻、テロ、ストライキがイタリアのイメージだった。だが同時に、まさにその時期に、次につながる創造性に富んだ新たな動きが様々な形で見られたということが重要である。社会全体としても変革の時代を迎え、離婚法の国民投票が行われ、地方分権の展開が始まっていた。後のイタリアの進む道を方向づける変革期の真只中に身を置き、その社会を内側から体験できた意味は大きい。『都市のルネサンス』はその時代の空気、熱気を直に物語るものでもある。

特に、イタリアが誇る中小都市が今日に繋がる輝きを取り戻した過程を振り返ると、この七〇年代に推進されたポスト近代、ポスト工業化の都市政策に基づく修復再生の様々な事業が功を奏し、八〇年代にその成果が大きく開花したプロセスが浮かび上がる。その意味で、七〇年代は試行錯誤、仕込みの時期だった。自分たちのもつ特性、能力、可能性、アイデンティティを探求し、掘り起こす作業が行なわれた。機能性、合理性を追求する近代化のなかで忘れられていた、長い歴史のなかで積み上げられた創造性豊かな経験と知恵、地中海的な自然の豊かさの恵みが再評価された。

そのプロセスを経て、イタリア社会のもつ底力が発揮され、それまで眠った感のあった中小の都市が本来の魅了を取り戻し、やがてファッション、デザインの世界でイタリアらしい文化価値をもった商品や製品を生み出す舞台となったのである。八〇年代に、コモやトレヴィーゾといった単なる地方都市が一躍有名になった。そう考えると、この歴史の転換点となった一九七〇年代のイタリアの都市と社会を内側から記述した『都市のルネサンス』がもつ意味の大きさが改めて理解されるだろう。

この本のなかで重要な役割をもった「保存の先駆者ボローニャ」の章には、先進都市ボローニャが、イタリアという国の最大の魅力であるこうした中小都市の輝きをどのような思想のもとで、いかにして蘇らせようとしたか、その保存再生の事業をリアルタイムで観察し、考察した内容が熱い思いで書き綴られている。

トレヴィーゾのシニョーリ広場。市民交流の屋外サロン

＊

ボローニャ市は一九七〇年代前半に、歴史都市を構成する既存の建物を徹底的に分析評価しながら都市再生を展開したが、その戦略の鍵となる「都市を読む」方法は、実は一九五〇年代後半からヴェネツィアで探求され、一九六〇年頃、すでに大きな成果をあげていた。戦後の近代都市計画が隆盛だったこの頃、思索的、哲学的な建築家、建築理論家、サヴェリオ・ムラトーリが助手のパオロ・マレットとヴェネツィア建築大学を舞台に、学生達の協力を得てまとめあげていたヴェネツィアの調査レポートに出会い、私は魅了された。ムラトーリはすでに他界していたが、当時、ジェノヴァ大学に移っていたマレット教授をパドヴァの自宅に訪ね、個人的に何度も指導を受けた。

その思考プロセスを共有すべくヴェネツィアの古い街を毎日、夢中になって歩き、貴族から庶民まで数多くの家を訪ね、外からも内からも観察し、複雑に編まれた都市の文脈とも関連させながら、水都ヴェネツィアができ上がったプロセスを自分なりに解読する作業を深めたのだ。

これは、実に楽しくまた刺激的な調査だった。そして、帰国後、東京という複雑で不思議な様相を示す都市を解き明かす研究にチャレンジするのに、幸いにもこのイタリア的手法がおおいに役立つことになった。東京をはじめとする日本の都市を含め、中国、イスラーム圏、地中海世界など、世界各地の都市を比較研究する上で、ヴェネツィアで学んだ「都市を読む」思想と方法が最大の武器となった。このイタリアで生まれた方法を日本に紹介し、ヴェネツィア解読の研究の面白さを初めて記述した『都市のルネサンス』は、その意味で自分自身の出発点だったのだ。

同時に、一九七〇年代前半のヴェネツィアでは、一九六六年一一月の大水害（アックア・アルタ）の悲劇の記憶がまだ人々の心に強く残っていた。人類の財産を水没からヴェネツィアを救えという国際キャンペーンが張られ、都市再生への、やや特殊だが象徴的な動きからも大いに学ぶことができた。

*

『都市のルネサンス』のなかで、我ながら最も先見の明があったと誇れるのは、実は、何でもない素朴な田舎町、「丘の上の町チステルニーノ」を取り上げたことだった。長靴型のイタリア半島の踵にあるプーリア州の少し内陸部に入った丘の上の白い町である。

七〇年代中頃に、誰が今のプーリア州の活気ある状況を想像できたであろうか？　そのなかでも、チステルニーノがあるヴァッレ・ディトリア地域の田園地帯の今日のような人気を、誰が予測できたであろうか？

円錐形のトンガリ屋根で有名なアルベロベッロ、白い迫力のある丘上都市のオストゥーニやロコロトンド、バロックも加わった白いエレガントなマルティーナ・フランカなど、美しい小ぶりの町が、ここには綺羅星のごとく点在する。しかも、その周囲に広がる緩やかな起伏が連なった特徴ある田園風景がまた実に魅力的で、私はその虜になったが、当時は、イタリア国内でもこの地域はほとんど注目されていなかった。素朴な営みが続く地方の一つの風景に過ぎなかった。

中北部イタリアの近代的な発展の成功の裏で、経済的にも文化的にも停滞を余儀なくされていた南イタリアのプーリア地方が、近年、嬉しいことに、大地の恵みと歴史の経験を最大限活かし、

エレガントに再生されつつあるチステルニーノのチェントロ・ストリコ

斜面都市オストゥーニの戸外空間を生かしたレストラン

その存在をおおいにアピールし始めたのだ。丘の上に点在する個性的な小都市群は修復されて美しさに磨きをかけ、さらには海沿いの歴史の蓄積をもつ海洋都市の荒廃していた旧市街も再生され、輝きを見事に取り戻した。

それは建築や都市空間のハード面だけではない。何よりも、近年のイタリアにおけるエノガストロノミーア（ワイン＋食文化）の分野で最も注目を浴びている地方の一つが、このプーリアと言えるのだ。海と陸の幸を活かし、驚くほど豊富な野菜、パスタ、ブラータ（ソフトチーズ）をはじめとする畜産品が揃い、食卓を彩る。プーリアのオリーブ・オイルは、量ばかりか質の面でもイタリアで特筆すべき地位を占める。ワインもギリシヤ起源の葡萄を使った土地のワインが近年、改良を重ね、価値を高めている。グルメにはパラダイス気分を満喫できる嬉しい土地に違いない。

ところが、私が調査に留学先のヴェネツィアからしばしば通った頃のこのプーリア地方の田園には、歴史的に営々と続いてきた大土地所有制度（ラティフォンド）の名残の有力家が所有するマッセリア（農場）が点在する後進的な農村と見られ、オリーブ、葡萄、野菜が何の工夫もなく栽培されているに過ぎなかった。付加価値の高い農業、畜産という概念は見られなかった。むしろチャンスあらば工場誘致という感じでもあった。そしてチステルニーノと言えば、若者が大都市に職や大学教育を求めて次々に出て行く寂しい田舎町に過ぎなかった。中世に丘上に形成された歴史都市の白い迷宮空間は何とも魅力的だったが、トゥリズムはまだほとんど見られなかった。

そんな当時、調査で滞在していて、おおいに感心したことがある。都市と農村／田園が密接に繋がっていて、人々はいつもその間を車で行き来する。城壁の内側に住む人々の多くが、田園に土地や家を所有しているのだ。自分が土地をもたなくても、祖父母や親戚が田園に住み、農業を営み、ワインも野菜も買う必要がないという感覚がある。八〇年代末に始まるスローフード運動が提唱した地産地消を文字通り、一貫して維持してきたのだ。それは、近代化、工業化の時代には、遅れているとみなされてきた。だが、文明が一巡すると事情が逆転した。イタリアは今、都市と農村の密接な関係を取り戻そうという時代を迎えている。都市の周辺に豊かな農地があり、市民が田園に土地をもつのは最高の贅沢となったのだ。

今、時代の空気を読む最もイタリアらしいキーワードと言えば、「キロメトロ・ゼロ」だろう。この国の誰もが口にする地産地消の合言葉で、生産地と諸費地の間が〇キロの状態が理想だと言い切る。キロメトロ・ゼロは、大地と食を大事にする新たな生活スタイルを生み、地域に元気を蘇らせる。

そうした都市と田園／農村が密接に結びついた姿を七〇年代にチステルニーノで自分自身の脳裏に刻んでいたことが、その後のイタリアでの大きな動きの意味を察知するのにおおいに役立った。

＊

イタリアの都市づくり、地域づくりと長く付き合っていると、時代を切り拓くのにふさわしい鍵になる言葉（キーワード）を巧みに生み出し、人々が新しい価値観を共有できる状況をつくり出しているのに感心させられる。一九六〇年にＡＮＣＳＡ（全国歴史芸術都市協会）によって開催された歴史都市の保存のための記念すべきグッビオ会議で掲げられた「チェントロ・ストリコ」（文

放棄された農村が高級ホテルに蘇ったボルゴ・カノニカ。チステルニーノの田園に再生の動きが広がる（写真提供：Architetti Aldo Flore & Rosanna Venezia）

字通り訳せば「歴史的中心」で、城壁の内側の旧市街をさす）という言葉が、その後、実に大きな役割を果たした。開発から古い町並みを守るのみか、一九七〇年代のボローニャの成功事例が示すように、イタリア社会は、チェントロ・ストリコを現代生活の器として再生する考え方を実践し、そこに都市や地域の文化的アイデンティティを表現する象徴的中心としての役割を取り戻していった。一九八〇年代のイタリア都市の輝きの舞台は、まさにこうして蘇り、魅力を高めたチェントロ・ストリコにあった。少し長いスパンで振り返ると、このイタリア語のキーワードを前面に押し出し、もっと積極的に使うべきだったと今は思うが、『都市のルネサンス』ではやや抑え、「歴史地区」という日本語に置き換えて使っている。

この一九八〇年代は、歴史的都市の保存再

生が軌道に乗り、実はイタリア社会が次のステップに大きく踏み出した時期でもあった。本来はイタリア都市の豊かさの源だったにもかかわらず、近代化・工業化でその価値が長らく忘れられていた田園や農村を再評価する動きが生まれたのだ。チェントロ・ストリコと命名し、歴史地区の現代的な価値を再発見しつつ、人々の暮らしの場として再生したのに続き、見捨てられていた田園や農村の価値を掘り起こし、蘇らせる活動が始まった。

この流れで重要な役割をもったのが、「テリトーリオ」（地域）という概念である。都市と周辺の田園や農村が密接に繋がり、支え合って共通の経済・文化のアイデンティティをもち、個性を発揮してきたそのまとまりを、イタリアでは「テリトーリオ」という。一般に領土と訳される英語のテリトリーとは概念が異なり、土地や土壌、景観、歴史、文化、伝統、生産、地域共同体など、様々な側面を合わせもつ一体のものなのだ。このような発想を呼び覚ませば、都市の魅力だけではないイタリアに秘められたもう一つの大きな可能性が見えてくる。「テリトーリオ」の言葉は、地方ごとの多様性を誇るイタリアの底力の復活を意味する。「スローフード」「スローシティ」「キロメトロ・ゼロ」といった一連のキーワードは、すべて「テリトーリオ」の復権から生まれた言葉なのだ。古くからあった言葉に現代の生命を与えて、このキーワードを最近、イタリアの人々はよく使う。私自身、チステルニーノの調査を通して、都市と周辺の田園／農村とが密接に繋がることの価値を身体で知っていたからこそ、一九八〇年代のイタリアが切り拓いた、「チェントロ・ストリコ」から「テリトーリオ」への再生のターゲットの拡大の状況を実感をもって観察し、その文明論的な意味を読み取ることができた。

ラグーナの浅い内海に浮かぶヴェネツィアでも、このようなテリトーリオへの関心の広がりが見られた。この水都では、サン・マルコ広場やリアルト市場のあるいわゆる本島部分がチェントロ・ストリコで、そのまわりにラグーナ（浅い内海）の水面が広がる。前述の一九六六年一一月の大水害を切掛けに、その大きな要因となった近代の工業開発への反省が起こり、ラグーナの水環境、生態系が果たしてきた重要な役割に人々の目が向くようになった。もちろん本土側へも関心は広がるが、今、ヴェネツィアの重要なテリトーリオとして熱い注目を集めるのは、このラグーナという存在なのである。

*

そもそも浮島のような場所に成立したヴェネツィアは何の資源ももたず、すべてを外部から調達しなければ都市が成り立たなかった。オリエントや本土（テッラフェルマ）からもたくさんの建築資材、食料、贅沢品などが運び込まれたが、もっとも身近で、ヴェネツィア市民の生活を支えたのは、ラグーナそのものだった。ヴェネツィアはラグーナがもたらす恵みによって、独自の豊かな都市文化を創り上げることができたのだ。

特に、独特の食文化はラグーナの水の空間と島々によって育まれた。ラグーナの島々では、野菜、果物がふんだんにでき、ワインもつくられる。サンテラズモ島のカストゥラウーラ（カルチョーフィの方言）は、塩分を含む水を吸収して育つから、その風味は格別で、今なお人気が高い。

海水と淡水が混ざるラグーナは魚の宝庫だ。しかも、魚の生態を知り尽くしたヴェネツィア人は古くから、ラグーナの陸地に近いゾーンに養魚場をたくさん創り出した。水の温度差を利用して、春先になると海流に乗ってラグーナに入ってくる稚魚をこのなかに誘い込み、秋まで成長させ、冬にまた海に戻って行こうとするところで捕獲する。ヴァッレ・ダ・ペスカと呼ばれるこの養魚場は上空から見ると美しい景観を生んでいる。魚がたくさんいる養魚場にはカモが集まるので、恰好のお狩場でもあり、狩りが好きな貴族・上流階級をもてなす狩りの館が、まるで海辺のヴィッラ(別荘)のようにつくられてきた。こうした施設の今日的な見直し、再評価も進んでいる。

ラグーナの島々には、宗教施設としての修道院、検疫施設、軍事施設、墓地、病院など、都市を支える様々な施設がそれぞれの時代につくられてきた。元の修道院が一八世紀初めに軍事病院に転じ、その後、精神科病院として使われていたサン・セルヴォロ島には、一九九五年にヴェニス国際大学が開設された。また、軍事施設や隔離病院となっていた島に、その建築資産をリノヴェーションして豪華な五つ星ホテルに蘇らせるような興味深い例も登場している。

ラグーナの周辺の落ち着いた環境のなかに、アグリトゥリズモを営む農家が幾つも登場している。小規模な養魚場の元々漁師の家族が住んでいた家屋が、格好良くリノヴェーションされて夏の家として使われている例もある。自転車とボートを活用し、ラグーナの周辺や島を巡る楽しみも広がっている。ラグーナ全体を自然公園のように保全しようという考えも強い。

ヴェネツィア本島がオーバートゥリズムの問題を抱えるなか、これまで近代化で見捨てられてきたラグーナの周辺部や島々に大きな注目が集まるという現象が顕著になっているのだ。ポストコロナの時代に、さらにこの傾向が強まることが予測される。ラグーナに隠されていた多様な魅力と大きなポテンシャルがますます再発見、再評価されていくのは間違いない。

＊

『都市のルネサンス』で書きたかったのは、一九七〇年のイタリアに私が見出したポスト近代の時代を切り拓く「都市の思想の転換」だった。既存の町並みを破壊して再開発を繰り返す、あるいは白紙に自由に絵を描いてニュータウンをつくる従来の近代的手法による都市の計画・開発ではなく、歴史の蓄積をもつ既存の都市の豊かな個性を深く認識し、その構造・骨格を活かしながら、新たな技術とセンスによって次の時代の生活、営みの場として蘇らせる、という考え方だ。それでこそ、過去の記憶を継承しつつ、人々に愛される生活空間を生み出せるし、持続可能性のある都市発展への道も保証される。これが真の「都市のルネサンス」だという主張を込めたのである。

こうしたチェントロ・ストリコ（歴史地区）から始まった「都市の思想の転換」の価値ある動きが、一九八〇年代半ば以後、周辺の田園／農村へ、ヴェネツィアならラグーナへと大きな広がりを着実に獲得してきた。〈歴史〉と〈自然〉というその土地固有の資産を活かした環境づくりが〈都市〉から〈テリトーリオ〉へ舞台を広げ、のびのびと展開している。長い文明の歴史を経験知としてもつイタリア社会が示すその底力のあり方からは、日本の都市や地域を考える上で、我々にとって学ぶべきことが実に多い。

二〇二一年七月　　陣内秀信

【図版参考文献一覧】（数字はページ数を示す）

E. R. Trincanato, *Venezia minore*, Milano, 1948.
井戸の構造図　90
ビザンティン様式の2連アーチ窓をもつ建物　93
「天国の道」の正面図　94
レオナルド型階段模式図　108
ザッテレの集合住宅2階平面図　108
S. Muratori, *Studi per una operante storia urbana di Venezia*, Roma,1960.
コルテ・デル・ミリオン周辺1階平面図　59
P. Maretto, *L'edilizia gotica veneziana*, Roma, 1960.
建築類型の変遷　65
サン・シルヴェストロ地区2階平面図　67
「天使の家」の1階平面図　71
サン・カンチアーノ地区2階平面図　75
ヴィアリオ家平面図　77
パラッツォ・ヴァン・アクセルの平面図　82
カンポ・サン・ポーロ2階平面図　87
「天国の道」の2階平面図　94
G.Perocco / A.Salvadori, *Civiltà di Venezia 1*, Venezia, 1973.
ポンテ・ストルトのバリエーション　72
ゴシック前期の住宅断面図　75
A. Zorzi, *Venezia scomparsa*, Milano, 1972.
外階段のあるコルテ　79
Prof. G. Scattolin（Istituto Universitario di Architettura di Venezia）提供資料
カンポ・サン・ジャコモ・ダローリオの1階平面図と正面図　48
Comune di Bologna提供資料
サン・レオナルド地区の再生完成後の予想図と平面図及び現状平面図　218
住宅再生モデルプラン（2人用住戸）　219

本書は、一九七八年五月に刊行された『都市のルネサンス——イタリア建築の現在』(中公新書)、およびその文庫版『イタリア　都市と建築を読む』(講談社+α文庫、二〇〇一年九月)の増補新装版です。本書刊行にあたり一部加筆しました。

なお、本文中の年代、肩書きなどは当時のままです。

【著者略歴】

陣内秀信（じんない・ひでのぶ）

1947年福岡県生まれ。東京大学大学院工学系研究科博士課程修了・工学博士。法政大学特任教授。イタリア政府給費留学生としてヴェネツィア建築大学に留学、ユネスコのローマ・センターで研修。専門はイタリア建築史・都市史。パレルモ大学、トレント大学、ローマ大学にて契約教授を勤めた。地中海学会会長、建築史学会会長、都市史学会会長を歴任。中央区立郷土天文館館長。
主な著書に、『イタリア都市再生の論理』（鹿島出版会、1978）、『東京の空間人類学』（筑摩書房、1985）、『ヴェネツィア―都市のコンテクストを読む』（鹿島出版会、1986）、『都市を読む＊イタリア』（法政大学出版局、1988）、『ヴェネツィア―水上の迷宮都市』（講談社、1992）、『都市と人間』（岩波書店、1993）、『イタリア都市の空間人類学』（弦書房、2015）、『水都ヴェネツィア―その持続的発展の歴史』（法政大学出版局、2017）、『水都 東京―地形と歴史で読みとく下町・山の手・郊外』（筑摩書房、2020）他多数。
受賞歴：サントリー学芸賞、地中海学会賞、建築史学会賞、イタリア共和国功労勲章（ウッフィチャーレ章）、日本建築学会賞、パルマ「水の書物」国際賞、ローマ大学名誉学士号、サルデーニャ建築賞、アマルフィ名誉市民、アマルフィ・マジステル、ARGAN（アルガン）賞。

都市のルネサンス〈増補新装版〉――イタリア社会の底力

2021年7月30日　第1刷発行

著　者　陣内秀信（じんないひでのぶ）

発行者　野村亮

発行所　古小烏舎
〒810-0022 福岡県福岡市中央区薬院 2-13-33-801
電話 092-707-1855　FAX 092-707-1875

印刷製本　株式会社シナノパブリッシングプレス

落丁・乱丁の本はお取り替えします

ISBN 978-4-910036-02-1　C0052

古小烏舎の本

人類学的観察のすすめ

《物質・モノ・世界》

古谷嘉章

私たちが生きている世界は、
退屈な、わかりきった世界なんかではない！

当たり前すぎて気づかない、ふつうは考えもしない見慣れた世界について、思い込みをなくし、いつもとはちょっと違う見方で観察の目を注いでみると、思いもかけない驚きに満ちた未知の世界が露わになる。幸いにもこの世界は、まだまだ知らないことばかり！
人類学者による「観察＋考察」のエクササイズ73

定価　2000円+税
46判・並製・256頁
ISBN 978-4-910036-01-4

日本捕鯨史【概説】

〈2刷〉

中園成生

先入観や思い込みを見直し、
まず「捕鯨とは何か」を知ることからはじめる

捕鯨が話題になる度に「日本には歴史と伝統がある」といわれるが、その実態を果たしてどのくらいの人が理解しているだろうか。自然と共生しながら食文化や信仰など独特の展開をみせた日本独自の「古式捕鯨」から、乱獲を招いた「近代捕鯨」そして「管理捕鯨」へ。縄文から現代まで、時代の変遷をたどり歴史から日本人と鯨のかかわりを今一度見つめ直す。

定価　1900円+税
46判・並製・224頁
ISBN 978-4-910036-00-7